MIRABELLE

DE LA MÊME AUTEURE

JEUNESSE

Les Gardiens des ténèbres, Guy Saint-Jean Éditeur, 1995.

ADULTES

Je suis enceinte... Au secours!, Les Intouchables, 2006.

VIOLAINE DOMPIERRE

MIRABELLE

TRÉCARRÉ
Une compagnie de Quebecor Media

Catalogage avant publication de Bibliothèque et Archives nationales du Québec et Bibliothèque et Archives Canada

Dompierre, Violaine, 1969-
Bal des finissants : Mirabelle
Pour les jeunes de 12 ans et plus.
ISBN 978-2-89568-433-6

I. Titre. II. Titre: Mirabelle.

PS8557.O495B34 2009   jC843'.54   C2009-940205-X
PS9557.O495B34 2009

Édition : Miléna Stojanac
Révision linguistique : Nadine Tremblay
Correction d'épreuves : Dominique Issenhuth
Couverture : Marike Paradis
Photo de l'arrière plan (couverture) : *Peony Dreams* par Geishaboy500,
www.flickr.com/photos/geishaboy500/
Grille graphique intérieure : Marike Paradis
Mise en pages : Marike Paradis

Cet ouvrage est une œuvre de fiction ; toute ressemblance avec des personnes ou des faits réels n'est que pure coïncidence. Entre autres, l'école secondaire Cœur-Vaillant n'existe pas.

Remerciements
Les Éditions du Trécarré reconnaissent l'aide financière du gouvernement du Canada par l'entremise du Programme d'aide au développement de l'industrie de l'édition (PADIÉ) pour ses activités d'édition. Nous remercions le Conseil des Arts du Canada et la Société de développement des entreprises culturelles du Québec (SODEC) du soutien accordé à notre programme de publication. Gouvernement du Québec – Programme de crédit d'impôt pour l'édition de livres – gestion SODEC.

Les Éditions du Trécarré
Groupe Librex inc.
Une compagnie de Quebecor Media
La Tourelle
1055, boul. René-Lévesque Est
Bureau 800
Montréal (Québec) H2L 4S5
Tél. : 514 849-5259
Téléc. : 514 849-1388

Dépôt légal – Bibliothèque et Archives nationales du Québec
et Bibliothèque et Archives Canada, 2009

ISBN : 978-2-89568-433-6

Distribution au Canada
Messageries ADP
2315, rue de la Province
Longueuil (Québec) J4G 1G4
Tél. : 450 640-1234
Sans frais : 1 800 771-3022

Diffusion hors Canada
Interforum
Immeuble Paryseine
3, allée de la Seine
94854 Ivry-sur-Seine Cedex
Tél. : 33 (0)1 49 59 10 10

★ *Merci à ma sœur Jeanne pour ses précieuses idées, à Mégane Lafontaine et à Isabelle Roy pour leur fidélité et la pertinence de leurs commentaires ; à Marianne Brousseau, à Frédérique Traversy et à Miléna Stojanac de m'avoir fait confiance, et à Raphaël Braud, mon amoureux, pour son aide constante sur les plans tant créatif que littéraire.*

À PROPOS DE *BAL DES FINISSANTS*

Il aura lieu le 20 juin prochain…

★ Clara, Mirabelle, Victor, Yulia… trois filles et un garçon qui terminent leur 5e secondaire. Chacun donne son nom au livre dont il est le héros. Chacun est un peu présent dans le livre des autres.

Ils fréquentent tous l'école secondaire Cœur-Vaillant, à Montréal. Ils sont tous invités à participer au même bal des finissants, dont le thème cette année est les années 1960.

Dans ces quatre romans, on découvrira les aventures et les catastrophes, les intrigues et les coups de théâtre, les bonheurs et les calamités, bref, tous les événements qui mènent à l'« événement » de l'année : le bal des finissants. Et même si chaque roman constitue un récit complet, on voudra lire les quatre afin de tout savoir sur ce qui s'est passé cette année au bal.

LE MIROIR DE SA PERSONNALITÉ

★ Ce jour-là, le miroir de Mirabelle lui renvoya une image qu'elle détestait : une brune obèse aux cheveux longs, avec des cernes soulignant des yeux de chien battu, toujours tristes, et surplombant des bajoues qui lui étaient insupportables. Elle pesait à peine quarante-cinq kilos ; elle se trouvait immense. Elle était mignonne comme tout ; elle se considérait comme horriblement laide.

D'une main, elle tenait les ciseaux, de l'autre, une grande mèche de ses cheveux qui lui descendaient jusqu'à la taille. D'un seul coup, elle les cisailla et ils tombèrent sur le sol. Elle avait toujours gardé les cheveux longs pour sa mère, pour lui faire plaisir, pour se faire aussi belle que celle-ci le souhaitait afin qu'elle puisse faire parader sa fille à sa guise. Aujourd'hui, c'était terminé. Pour de bon.

Sous son ample ensemble de sport, Mirabelle avait entouré sa poitrine d'une bande élastique, même si avec son poids plume ses seins n'étaient déjà plus qu'un maigre souvenir.

Des larmes de colère et de tristesse glissaient sur ses joues. Dans sa tête et son cœur régnait la confusion. Elle sentait qu'elle venait enfin de faire un pas vers son autonomie en décidant du style qu'elle voulait se donner, mais elle savait pertinemment qu'elle agissait ainsi par révolte, pour prouver à sa mère qu'elle était la plus forte, sans être obligée d'être la plus belle.

Ses ciseaux continuaient de mordre inégalement dans sa chevelure qui s'évanouissait sans défense par tronçons sur le sol.

— Hé, le raisin sec! hurla son jeune frère Émile.

Il n'attendit pas de réponse et fit irruption dans la salle de bains.

Mirabelle se retourna vers lui en le fustigeant du regard. En guise de menace, elle leva ses ciseaux dans les airs en criant:

— Sors d'ici, minus! Combien de fois je t'ai dit de pas entrer sans frapper!

Émile fut si interloqué qu'il ne répliqua même pas. D'habitude, il lui aurait rétorqué qu'elle n'avait qu'à verrouiller la porte si elle voulait être tranquille, mais là, l'idée ne l'effleura pas. Il était bouche bée, son regard faisait des allers et retours constants entre le sol et la tête de sa sœur, comme si ça pouvait l'aider à mieux comprendre ce qu'elle était en train de faire. Devant l'inhabituel silence de son frère qui n'avait pas la langue dans sa poche en temps normal, Mirabelle se sentit soudain mal à l'aise. Elle adoucit le ton.

— S'il te plaît, Émile, j'aimerais être seule.

Mirabelle sentait bien que la violence intérieure qu'elle étouffait depuis trop longtemps prenait progressivement de la place dans ses gestes, dans ses paroles. Elle n'était tout simplement pas dirigée vers la bonne personne.

Une fois de plus, Émile aurait eu envie de lui demander ce qui lui prenait, mais il n'en fit rien. Humblement, il tourna les talons. Il en était maintenant convaincu : sa sœur n'allait pas bien. Pas bien du tout.

DU TALENT ET DE LA PASSION

★ La nouvelle sculpture d'Antoine prenait forme. Le garçon devait avouer qu'il en était très satisfait. La musique de Genesis qui sortait de son lecteur MP3 lui ensorcelait les mains et lui permettait de réaliser de véritables petits miracles. Il n'avait pas besoin de croquis ni de plan ; il savait exactement ce qu'il allait créer : la glaise et ses doigts faisaient naître un homme affalé, dont le corps se détachait d'un rocher. Il était retenu par une femme magnifique qui le surplombait en plein ciel, brandissant une sorte de torche qui lui donnait assurance et force. Un peu comme la statue de la Liberté, mais nue et beaucoup plus jolie. Cette représentation reflétait en quelque sorte sa propre vie ou, enfin, certains personnages qui l'avaient habitée : une femme qui domine tout et, à ses pieds, un homme qui n'est pas grand-chose…

Le téléphone sonna, mais la musique qui s'évertuait à lui percer les oreilles en couvrait le son. La sonnerie s'interrompit. On venait de décrocher.

La porte s'ouvrit. Orléans, son frère de vingt-deux ans, lui fit signe de répondre. Antoine retira ses écouteurs et se dirigea vers le téléphone posé à côté de son imposante chaîne stéréo.

— Ouais ? dit le jeune homme.

À l'autre bout du fil, Stéphanie lui rappela qu'il y avait en ce moment même une réunion du comité du bal à laquelle il devait assister.

— Merde ! J'arrive !

Quand il créait, il oubliait tout. Presque tout… Il raccrocha et enfila son pantalon tout en tentant d'éviter le museau de son chien Haddock qui le gênait dans tous ses mouvements. Le labrador noir n'avait qu'une envie : aller se promener !

— Désolé, coco, mais tu devras embêter Orléans si tu veux aller faire un tour. Moi, je peux pas.

Il se pencha, déposa un bisou sur la truffe du chien, se retira juste assez vite pour éviter un coup de langue affectueux et baveux, puis passa son poing fermé sur sa tête. En moins de temps qu'il ne faut pour le dire, il avait disparu. Dans sa chambre, les deux formes emprisonnées dans la sculpture allaient patiemment attendre son retour.

EN QUÊTE DE NOURRITURE

★ Assise dans le salon, arborant sa nouvelle coupe de cheveux, Mirabelle feuilletait un livre de recettes de plusieurs centaines de pages. Ce passe-temps lui servait d'exutoire ; c'était comme si elle se nourrissait des images qu'elle voyait à défaut de pouvoir s'en mettre plein le ventre. Aujourd'hui, un yogourt, sans matières grasses bien sûr, était le seul aliment qu'elle avait ingéré pour ses deux premiers repas. Mais ça, pas plus son père, trop occupé à la construction de ses modèles réduits de voitures anciennes, que sa mère, perdue dans ses concepts publicitaires, ne l'avaient remarqué. Pas davantage aujourd'hui qu'hier ou demain. Mirabelle s'en était fait une raison. Pour l'instant, elle se délectait de ces images appétissantes, sans prendre un kilo, et c'est ce qui comptait le plus pour elle. Couscous à l'érable, agneau en tajine, tacos au tofu, bœuf bourguignon, lasagne aux lentilles… De quoi se régaler !

Elle entendit son père ouvrir le frigo et déballer les sacs d'épicerie, se préparant, comme chaque soir, à cuisiner. Elle lui lança :

— C'est beau, papa, je vais faire à manger ce soir, si tu veux.

Pierre-Marc s'avança dans le salon et regarda sa fille. Il sursauta.

— Tes cheveux ! Qu'est-ce que t'as fait à tes cheveux ?

Mirabelle fut surprise de cette réaction.

— Je pensais même pas que tu le remarquerais ! répondit-elle.

Les épaules de son père tombèrent.

— Tu avais les cheveux longs jusqu'à ta taille ! Ils te frôlent à peine les épaules maintenant, et tu pensais que je le remarquerais pas ! Des fois, j'ai l'impression que tu me prends un peu pour un imbécile.

Mirabelle le regarda. Il n'avait pas encore eu le temps d'enlever le bleu de travail qu'il mettait pour charger le lait à l'usine. Il est vrai que ça ne lui donnait pas très fière allure. Pierre-Marc n'était pas ce qu'on pourrait appeler un sexe-symbole : plutôt petit, maigrelet, il avait peu de cheveux sur la tête et ceux qui lui restaient étaient poivre et sel. Rien pour l'aider, il arborait une moustache à la mode des années quatre-vingt. Il ne lui manquait que la coupe Longueuil pour faire de lui un parfait apôtre du kitch, pensa Mirabelle.

— Papa, tu sens le lait caillé, va te changer s'il te plaît, lui commanda-t-elle, un tantinet découragée.

Sans mot dire, Pierre-Marc se regarda, conscient qu'il pouvait parfois faire honte à sa fille, et retourna dans la cuisine. Il était inquiet pour elle. Tous ces comportements bizarres depuis quelque temps, son amaigrissement progressif et maintenant ses cheveux coupés le perturbaient, mais ça aussi, il le cachait bien.

— Qu'est-ce que tu comptes faire pour souper ? demanda-t-il en haussant la voix pour qu'elle l'entende.

— Il y a une super-recette de poulet au beurre, ici, dit Mirabelle en désignant son livre.

— Du poulet au beurre ! C'est quoi ça, du poulet au beurre ? s'exclama Pierre-Marc, le nez dans ses sacs d'épicerie.

— C'est indien, précisa sa fille.

— En tout cas, il faudra que t'ailles acheter les ingrédients. J'avais prévu un steak.

Mirabelle soupira d'ennui.

— Un steak ! Un steak, avec des patates et des petits pois, marmonna-t-elle.

Son père, qui n'avait bien sûr rien entendu, ajouta :

— Un steak, avec des patates et des petits pois.

— C'est bizarre, j'aurais pas deviné, murmura sa fille en fermant les yeux, découragée.

Puis, d'un bond, elle redressa son corps qu'elle trouvait trop lourd et attrapa sur le divan son polar bleu qu'elle enfila.

Accotée au cadre de la porte de la cuisine, elle lui demanda :

— T'as de l'argent ?

— Hein ?

— Pour le poulet, les ingrédients et tout.

— C'est pas un peu compliqué ? J'en reviens. T'es certaine qu'un bon steak te tente pas ?

— Plein d'hormones, laisse faire, affirma la fille en tendant la main.

— Ah, toi et tes histoires, dit Pierre-Marc.

Il sortit un billet de vingt dollars de sa poche et le lui remit.

— Et tu penses pas qu'il y en a pas dans le poulet, des hormones ?

— Justement non, ajouta-t-elle avec assurance. Seulement dans le bœuf. Ils ne donnent plus d'hormones aux volailles depuis longtemps.

— Ah bon… laissa tomber Pierre-Marc.

Il ne connaissait pas grand-chose sur le sujet et ne pouvait donc argumenter davantage. De toute façon, il ne pouvait jamais dire non. Ni à elle, ni à personne. Il était ce qu'on appelait une bonne pâte.

L'épicerie était à une quinzaine de minutes à pied de chez elle, mais elle avait l'habitude de faire le trajet au pas de course, une course rapide qui la menait à destination en moins de dix minutes. Demain, elle y arriverait en huit. Toujours se dépasser, être la meilleure. Perdre les calories gagnées avec le yogourt du matin. Elle partit donc à vive allure avec en tête l'unique objectif de faire encore mieux, toujours plus.

Arrivée à l'épicerie, la tête lui tournait, mais elle aimait le sentiment d'accomplissement, la sueur qui lui envahissait le front, qui lui recouvrait le corps. Perdre du poids, encore et toujours. Et puis le sport lui permettait de ressentir un état d'euphorie unique.

Elle salua à peine l'épicier, le commis et la caissière. Elle voulait éviter leur regard de pitié, d'incompréhension, leurs jugements envahissants. Physiquement, elle savait qu'elle était différente, mais était aussi convaincue qu'ils ne comprenaient pas et ne comprendraient jamais.

Elle empaqueta ses achats dans son sac à dos, souffla un bon coup, et repartit en direction de chez elle, encore plus rapidement qu'à l'aller. Le soleil qui perçait en sa direction et la température étonnamment élevée pour ce mois d'avril l'enveloppaient et représentaient pour elle un nouveau défi. Plus de poids sur ses épaules, plus de chaleur et de sueur, c'était tout simplement parfait.

Elle arriva devant chez elle et regarda sa montre. Neuf minutes cinquante-sept! Elle pesta, déposa son sac à dos et tenta de reprendre son souffle, les mains sur les genoux. Ses poumons la brûlaient. Ses cheveux dégouttaient, libérant toute la sueur accumulée. Quel bonheur de s'être débarrassée de cette tignasse!

— Hé, ça va?

Malgré un bourdonnement dans ses oreilles, Mirabelle réussit à reconnaître la voix de sa cousine Mégane, sa complice de toujours.

— Hé, Mégane! Elle tenta de reprendre son souffle et se releva. Qu'est-ce que tu fais ici?

— Ouf, ç'a pas l'air facile. Repose-toi un peu.

Mégane lui frotta le dos.

— Je passais dans le coin, expliqua la nouvelle venue en prenant le sac à dos de sa cousine. Ma mère voulait que j'aille chercher son pantalon chez le nettoyeur.

Elle ne put s'empêcher de fixer les cheveux de Mirabelle. Cette dernière leva un œil vers sa cousine.

— Je sais, Mégane, pas besoin de me le dire, c'est affreux.

Mirabelle savait bien que sa cousine ne savait pas mentir.

— C'est un peu spécial. T'aimes ça?

— Moins d'entretien, fait que…

Mirabelle se ressaisit, reprit son sac et monta les huit marches qui la menaient chez elle, au rez-de-chaussée d'un triplex rue Louis-Hébert. Mégane la suivit sans un mot, sentant que Mirabelle n'avait pas envie de parler de sa coiffure. Elle voyait bien qu'elle et sa cousine, qui s'étaient suivies de si près pendant de nombreuses années, ne marchaient plus dans les mêmes traces. Elle était triste de constater que Mirabelle semblait boycotter sa féminité. Mégane devinait bien de quoi souffrait sa cousine.

Mirabelle enfonça sa clé dans la serrure et poussa la porte.

— Ton père est là ? demanda Mégane.

— Depuis dix-sept heures douze, comme tous les soirs, laissa tomber Mirabelle avec une pointe d'exaspération dans la voix.

Les deux filles passèrent devant le miroir du vestibule. Mirabelle évita son reflet tandis que sa cousine en profita pour replacer sa frange qui s'était affaissée sous l'effet de la chaleur.

Mégane était une jeune adolescente magnifique. Ses cheveux châtains, parsemés de mèches dorées, descendaient en dégradé légèrement sous ses épaules et elle tenait à montrer un visage sans maquillage. Elle avait une peau de pêche, de longs cils, des lèvres pulpeuses et rosées.

Elle entra dans le salon, qui s'ouvrait sur la salle à manger. Mirabelle était déjà à la cuisine.

— Hé, de la grande visite ! s'exclama Pierre-Marc en voyant Mégane, sur ce ton toujours jovial qui faisait frissonner sa fille.

Mirabelle déposa ses courses sur le comptoir en haussant les sourcils. S'il avait fallu qu'elle dise le fond de sa pensée chaque fois qu'il ouvrait la bouche, son père ne s'en serait jamais remis. Mégane, elle, appréciait son oncle qu'elle trouvait bon toutou et sans malice. Elle s'approcha de lui et lui fit la bise.

— Salut, mon oncle !

— Toujours aussi belle !

— Ah, arrête ! dit Mégane en s'asseyant dans le divan rouge en face de lui.

— Ça fait longtemps que t'es pas venue nous voir…

— C'est les études. Tu sais, en secondaire cinq, c'est pas évident. On travaille à fond pour entrer au cégep.

— Tu t'es inscrite en quoi ? s'intéressa le père de Mirabelle.

— En ingénierie.

— Une ingénieure ! Comme ta mère. Elle doit être fière de toi.

— Ah, pour ça, oui. Mais en même temps, elle sait qu'il va falloir que je travaille fort. J'ai encore pas mal d'années d'études devant moi.

Dans la cuisine, Mirabelle ravalait sa colère. Avec un couteau de boucher, elle découpa le poulet avec une énergie presque violente. La lame claquait bruyamment sur la planche de bois. Et elle, qu'avait-elle choisi ? De devenir diététicienne. « Juste diététicienne », pensa-t-elle. Avec le taux d'obésité qui montait en flèche dans la population, c'était le choix le plus sûr, à son avis. Et encore, c'était au cas où sa carrière en athlétisme s'arrêterait aussi rapidement qu'elle avait commencé. Elle entendait encore les reproches de sa mère :

— Diététicienne ? Mais tout le monde peut être diététicienne ! C'est à peine si ça prend un bac pour réussir. Médecin, d'accord, mais diététicienne !

— Je peux faire une maîtrise ou un doctorat en nutrition, si ça te fait plaisir de dépenser de l'argent pour rien.

— C'est pas ça, avait rétorqué Françoise sèchement, c'est juste que…

— Que ça se place mal dans une conversation avec tes petits publicitaires qui pètent plus haut que leur trou !

— Mirabelle ! Je t'interdis de dire ça !

— C'est vrai pareil…

À l'autre bout de la table, le silence de Pierre-Marc avait été révélateur. Aucun mot de félicitations, pas un encouragement. Il s'était écrasé.

Là, au contraire, il ne tarissait pas d'éloges pour la belle, la séduisante, la gentille, la talentueuse Mégane qui réussissait tout. Ah, ce qu'il en avait de la verve quand il voulait ! Mirabelle ressentit sa colère l'envahir à nouveau et les larmes lui monter aux yeux, mais elle les réprima. Elle se mit à trancher dans le poulet avec encore plus d'ardeur. La conversation se tarit et Pierre-Marc monta le son du téléviseur pour mieux entendre le commentateur sportif.

Mégane rejoignit Mirabelle et l'aida à vider les sacs d'épicerie. Au bruit du plastique qu'on froufroutait, Chonchon, le cochon d'Inde, se lança dans une tirade de petits cris aigus qui fit sursauter Mégane.

— C'est quoi, ça ?

— Ah, ah ! Devine…

— Aucune idée…

— C'est mon cochon d'Inde qui veut des endives.

— T'as un cochon d'Inde ? Depuis quand ?

— Depuis Noël.

— Ça fait si longtemps que je ne suis pas venue ?

— Hé oui, cocotte ! T'es tellement populaire que t'en oublies ta vieille cousine…

— Ah, arrête, zozotte…

Mirabelle se tourna vers l'évier, se savonna les mains et les essuya sur la serviette pendouillant sur la cuisinière. Lorsqu'elle ouvrit le frigo, puis le compartiment à légumes, les cris de Chonchon se firent de plus en plus persistants. Mégane éclata de rire.

— Il sait ce qu'il veut !

Mirabelle sortit quelques feuilles d'endive qu'elle tendit à sa cousine.

— Viens.

Dans le salon, sur l'un des buffets de bois, une cage de métal enfermait en effet une bien mignonne créature. La petite bête se tenait debout et s'agrippait avec ses deux pattes avant sur les barres métalliques en les rongeant de ses deux grandes incisives. Elle était marron et, sur le dessus de la tête, arborait une houppe beige.

— Il est super-trognon ! dit Mégane.

— Vas-y, donne-lui ses endives.

La jeune fille avança sa main, mais au lieu d'attendre que l'animal prenne la feuille de salade par lui-même, elle la lui lança à travers les barreaux, de crainte de se faire mordre le doigt au passage.

— Aie pas peur ! C'est l'animal le plus doux qu'on puisse trouver !

— Je veux bien te croire, mais il peut confondre mes doigts avec des endives.

— Ah, ça, ça se peut.

Le petit Chonchon se délecta de ses feuilles d'endive. Que la nourriture lui soit offerte du bout des doigts ou dans la main, ou lancée nonchalamment au fond de la cage, cela lui importait peu. Les deux filles le regardaient, attendries.

— Pourquoi un cochon d'Inde ?

— Ma mère veut pas d'animaux qui circulent dans sa maison. Trop de soucis, qu'elle dit, les poils et tout. Honnêtement, je sais pas ce qu'elle en a à foutre, elle est jamais ici, de toute façon, et c'est nous qui faisons le ménage. Mais un cochon d'Inde enfermé dans une cage, ça lui va à peu près.

Mirabelle ouvrit la cage et prit son animal dans ses mains.

— Elle est jamais là, ta mère ? demanda Mégane.

— Des fois elle est là… Quelque part en train de me faire la morale ou dans son coin de relaxation à tenter de nous faire croire qu'elle est zen. On entend ses « Ahoumm » monter dans l'air et, franchement, je trouve qu'elle devrait essayer d'être plus zen avec nous avant de faire semblant d'être sage.

— Ouuhhh, je vois que vos relations se sont pas vraiment améliorées, remarqua Mégane en caressant la tête de Chonchon à son tour.

— Plus ça change, plus c'est pareil, ajouta sa cousine en déposant son animal dans sa cage. Allez, à la bouffe !

Elles retournèrent dans la cuisine et se lavèrent les mains. Mégane renversa sa tête, sortit un élastique de sa poche et noua ses cheveux. Mirabelle lui lança un coup d'œil rapide. Comme elle l'enviait, sa cousine, avec sa taille fine, ses seins bien ronds, ni trop petits, ni trop gros, ses jambes élancées, ses hanches qui ne prenaient pas de place. Mégane pouvait tout manger sans que ça paraisse, sans qu'elle ait besoin de pratiquer quelque sport que ce soit : elle n'engraissait pas d'un iota.

Pendant que sa cousine faisait à nouveau un brin de causette avec son père, Mirabelle prépara le poulet au beurre, prenant soin de forcer un peu sur le beurre et la crème, histoire d'enrichir la chose. Elle fit aussi griller légèrement du pain nan sur lequel elle étendit du beurre en abondance, et prépara un riz basmati à la coriandre. Les parfums indiens embaumaient toute la maison.

C'était l'heure de se mettre à table.

— Ma tante n'est pas là ?

— Elle a du travail à rattraper, expliqua Pierre-Marc.

— Comme tous les soirs… ajouta Mirabelle, cachant mal son amertume.

Pierre-Marc lança un regard furtif à sa fille et ne dit rien, se contentant de s'asseoir et de nouer sa serviette de table autour du cou.

Mégane remarqua qu'il n'avait pas perdu cette habitude qui l'amusait. Mirabelle en avait tellement honte quand elle était petite ! Elle le trouvait rustaud, et Mégane aurait parié que Mirabelle n'avait pas changé d'opinion à cet égard.

— Le vermisseau, on mange ! hurla Mirabelle à son frère, qui jouait au sous-sol.

Sans perdre une seconde, Émile grimpa les escaliers quatre à quatre. Pour les repas, il ne se faisait pas prier. Comme il était grassouillet, les marches craquaient un peu sous son poids.

— Hé, salut, Mégane ! fit-il, à la fois étonné et content de la voir.

Ses cheveux bruns étaient perpétuellement en broussaille, orientés vers le haut. Il tira son t-shirt du Canadien sur son nombril et se pencha sur sa cousine pour lui donner deux bisous sur les joues.

— Salut, Émile.

Mirabelle offrit tout d'abord une généreuse portion à Mégane, puis servit son père et son frère. Ce dernier se jeta littéralement sur son assiette en marquant chaque bouchée d'un « mmmhhh » bien senti.

Devant ce plat qui sentait si bon, Mirabelle ne put résister à l'envie de prendre une, deux, puis trois bouchées, avec une culpabilité grandissante à mesure que son estomac se remplissait. Son repas s'arrêta là.

— Dis-moi, comment va ta mère ? demanda Pierre-Marc à sa nièce.

— Elle va bien, fit la jeune fille la bouche pleine. Elle travaille dur elle aussi et elle a toujours pas de chum. Tu vois, y a rien qui change.

Elle trempa son pain nan dans sa sauce.

Mirabelle la regarda et ne put s'empêcher d'éprouver une pointe de satisfaction. Était-ce par plaisir de la voir apprécier son repas ou la jouissance inavouée de penser qu'elle pourrait prendre quelques kilos ? Elle reporta son attention sur son assiette en tassant le riz, puis le poulet, et encore le riz, sans jamais mener la fourchette à sa bouche.

Émile, lui, engloutissait son repas à une vitesse désarçonnante.

— J'ai jamais compris qu'elle soit encore célibataire après toutes ces années, poursuivit Pierre-Marc. Elle a tellement tout pour plaire, ta mère.

— C'est vrai, avoua Mégane en prenant une bouchée de riz, mais elle est super-indépendante, et ça fait peur aux hommes, des fois.

— Pas à mon père, ne put s'empêcher de dire Mirabelle qui faisait ainsi allusion à la froideur presque perpétuelle de sa mère.

Pierre-Marc saisit la remarque et garda le silence. Mégane, percevant le malaise ambiant, s'adressa à Émile.

— Et toi ? Comment ça se passe ton secondaire ?

— J'ai hâte d'être en cinquième, dit-il en pourchassant les derniers grains de riz de son assiette.

Il se leva et se resservit.

— Pourquoi ? demanda Mégane.

— Parce que je suis tanné d'être le petit qu'on peut niaiser.

— Parce que tu penses que ça va changer en secondaire cinq ? se moqua gentiment Mirabelle.

— Ah, ah. Très drôle.

Émile reprit place devant une assiette bien garnie. Mirabelle regarda à nouveau celle de sa cousine qui mangeait très lentement, par opposition à son frère. Son seul espoir était que Mégane en redemande.

— C'est vraiment super-bon, Mirabelle, la complimenta cette dernière.

— C'est vrai, j'approuve ! dit Pierre-Marc qui se régalait.

— Merci, se contenta de répondre Mirabelle.

— Tu manges pas, toi ? T'aimes pas ça ? s'enquit son père.

— Je me suis laissée tenter par un biscuit à l'avoine à l'épicerie tantôt. J'ai un peu gâché mon appétit.

Il y eut un silence. Émile doutait autant que Mégane de cette affirmation, mais ils ne dirent rien. Ils échangèrent plutôt un regard entendu que Mirabelle capta.

— Est-ce que t'en veux encore ? proposa-t-elle à Mégane pour détourner l'attention.

— Non, merci. Je vais finir ça et plutôt goûter au tiramisu que j'ai vu sur le comptoir.

— Est-ce que tu fais toujours de la clarinette ? interrogea Pierre-Marc, continuant ainsi sa série de questions.

Mirabelle profita de cette diversion pour se rendre aux toilettes. Elle ferma la porte, se mit à genoux devant la cuvette, tira la chasse d'eau et rejeta les trois bouchées qu'elle avait avalées, sans se forcer. Elle détestait vomir, mais c'était devenu chez elle une seconde nature.

Elle se releva, se passa une serviette froide sur le front et ressortit comme si de rien n'était, puis débarrassa la table et apporta le tiramisu et trois assiettes. Elle en distribua à tous, sauf à elle-même.

— T'en manges pas ? lui demanda son père, innocemment.

— C'est… C'est trop sucré…

— Tiens, c'est nouveau, ça !

— Ah, papa… termina-t-elle en faisant la moue.

Mégane perçut une fois de plus un malaise.

Mirabelle se rendit à la cuisine, disposa quelques assiettes dans le lave-vaisselle.

— Alors, as-tu trouvé ta robe pour le bal ? lui demanda Mégane en haussant la voix.

Il y eut un bref silence.

— J'irai pas, lança Mirabelle nonchalamment.

— Quoi ? bredouilla sa cousine.

Mirabelle réapparut dans la salle à manger.

— J'ai dit que j'irai pas au bal, ça me dit rien. J'ai personne pour m'accompagner et j'ai pas envie de mettre un sou sur une robe.

— Ben voyons, Mirabelle, lança Pierre-Marc en mangeant son gâteau. Tu sais bien que ce n'est pas un problème! Je vais te la payer, ta robe! Qu'est-ce que c'est que cette histoire?

Mirabelle lança un regard assassin à sa cousine. Mégane comprit et se tut, mais Pierre-Marc ne l'entendait pas ainsi.

— Princesse, tu le sais à quel point c'est important un bal de finissants. C'est comme un mariage! On s'en souvient toute notre vie. Si tu n'y vas pas, tu vas le regretter.

Mirabelle ne céda pas.

— Ben moi, je préfère le rater que de m'ennuyer! Je suis certaine que je vais m'emmerder si j'y vais... J'aime mieux rester ici.

— C'est parce qu'elle est trop maigre, dit Émile la bouche pleine. Y a pas une robe qui va lui faire.

— Ta gueule, vermisseau! lança Mirabelle.

Émile regretta ce qu'il venait de dire. Trop tard. Dans l'estomac de Mirabelle, un nœud s'était formé, une fois de plus. On lui faisait encore sentir qu'elle était différente. Mégane, elle, déplorait de voir sa cousine ainsi transformée. Où était donc passé ce sourire qui la rendait si belle avant, toute cette joie de vivre qui faisait d'elle une fille pas banale et rigolote, complètement folle en fait, mais folle dans le bon sens du terme? Mégane repoussa son dessert. Elle non plus n'avait plus faim.

★ Comme la veille et comme tous les jours, Antoine était cool. Par cette superbe journée, il prenait un plaisir certain à admirer les feuilles qui se déployaient dans les arbres, après un hiver si rude, si froid. Il marchait droit, les mains dans les poches, et c'est tout juste s'il ne sifflotait pas. Il aimait profondément la vie et même l'animosité qui avait régné, le jour précédent, pendant la réunion du comité d'organisation du bal ne l'avait pas ébranlé. Il voyait ça comme une querelle normale entre des créateurs qui veulent donner et même imposer leur point de vue. Fidèle à lui-même, il avait écouté les discussions, tentant parfois la médiation entre les plus fortes têtes, passant la parole à ceux qui ne parlaient jamais. On le respectait comme s'il était un grand chef. Les êtres humains sont un peu comme des animaux ; ils respectent les forts et ignorent les faibles. Antoine avait plein de copains, et il savait faire la différence entre copains et amis. Des amis, des vrais, il n'en avait que deux, peut-être trois.

Il devait bien faire vingt-trois degrés en ce vendredi matin et avril tirait à sa fin. Les Montréalais s'étaient, semble-t-il, donné le mot et sortaient chaises, tables et même chaises longues sur les balcons et dans les jardins, histoire de ne rien manquer de cette première chaleur. Antoine s'avançait vers le parc Beaubien où il croisait presque chaque jour une jeune inconnue.

Il s'adossa à un arbre, ouvrit son carnet et s'installa pour griffonner. Il aimait la voir courir, le visage crispé par l'effort qui travaillait ses muscles un peu plus profondément à chaque tour de piste. Il lui semblait qu'expiration après expiration, elle rejetait une rage qui la rendait toujours plus rapide, comme un moteur qui lui permettait d'avancer.

Mirabelle faisait travailler ses jambes comme jamais, la sueur qui perlait sur son front et sous ses aisselles récompensait à ses yeux tous les efforts qu'elle déployait pour se dépasser. Antoine profitait de chaque fois qu'elle passait devant lui pour l'observer et transposer son image sur papier : ses muscles, ses expressions... Bientôt, il s'en inspirerait pour réaliser une sculpture, une œuvre qui friserait la perfection, il en était maintenant convaincu.

Mirabelle l'avait bien sûr remarqué puisqu'il était déjà venu la veille et le jour d'avant, et quelques nombreuses fois auparavant, mais pour l'instant, il se tenait tranquille et c'est tout ce qui importait. Elle redoutait le jour où il lui adresserait la parole et ça l'agaçait de le voir la scruter ainsi. Elle le trouvait même ridicule, avec son bout de papier et son crayon, mais elle avait la faculté incroyable de se concentrer sur ses objectifs sans que rien ni personne ne puisse la déconcentrer.

Pour l'instant, il y avait elle, lui, le parc d'un vert bienfaisant et un soleil qui pesait déjà sur les efforts de la jeune fille, malgré l'heure matinale. Bientôt quinze tours qu'elle accomplissait cette routine, sans arrêt… et sans avoir beaucoup mangé. Elle avait commencé par éliminer les gras de son alimentation, puis les sucres, les viandes et, maintenant, même les produits laitiers n'y entraient plus. Ne restaient que les fruits et les légumes qui devraient bientôt passer dans la rubrique des rejets, comme tous les autres aliments. Pour seul déjeuner, elle avait avalé une pomme et il y avait bien longtemps qu'elle était digérée. Des points noirs lui apparurent devant les yeux. Elle s'arrêta et se pencha, les mains sur les genoux, pour reprendre son souffle.

Antoine cessa de dessiner et la regarda, se demandant si elle avait besoin d'aide. Elle respirait si fort.

Rapidement toutefois, elle se releva et marcha pour permettre à sa respiration et à son cœur de reprendre un rythme normal. Elle ferma les yeux, souffla un bon coup, les rouvrit et repartit dans une course effrénée. Il était hors de question d'abandonner. Elle devait gagner. C'était son corps contre sa tête. Antoine se doutait bien que quelque chose n'allait pas chez cette fille, mais il était comme obnubilé, hypnotisé par sa présence. Elle était si différente de celles qu'il fréquentait à l'école et qui le draguaient constamment. Elle ne semblait pas superficielle, mais plutôt habitée par une rare détermination. Elle paraissait forte dans son silence. Elle ne jacassait pas à tout vent pour plaire ou pour se faire l'amie de tous. Elle avait une de ces beautés que les gens refusent de voir parce qu'elle n'attire pas l'attention avec trop de maquillage ou des vêtements ultra-moulants. Dans son isolement, elle criait surtout une détresse que seuls ceux qui ont déjà eu aussi mal pouvaient entendre, et Antoine l'entendait.

Ils restèrent ainsi encore une bonne demi-heure ; elle à courir, lui à dessiner. Et c'est comme ça que se déroula la fin de semaine. Mirabelle courut, mangeant à peine, et Antoine se nourrit de dessins et de sculptures.

LE CHOC

★ Dans les couloirs de l'école, les conversations des cinquièmes secondaires tournaient autour d'une seule chose : le bal des finissants. Dans moins de deux mois, ceux et celles qui s'étaient côtoyés pendant cinq longues années allaient fêter ensemble la fin du périple et le début d'un autre voyage. Mirabelle n'avait rien du tout à célébrer puisqu'elle avait fait le voyage seule, cette dernière année.

— Est-ce que t'es venue au lave-auto en fin de semaine ? On a amassé plus de cinq cents dollars pour le bal ! dit Tracy à une autre fille dont Mirabelle ne connaissait pas le prénom.

Bien sûr qu'elle y était allée ! Tout le monde y était allé. Mais pas Mirabelle. Pas plus qu'elle n'avait participé au défilé de mode, d'ailleurs, ou à l'album étudiant ou encore au comité pour la bague des finissants. Elle rangea ses affaires de maths dans son casier en prenant garde de ne pas laisser tomber un objet sur la tête de Clara, sa voisine de casier, occupée à faire la même chose qu'elle. Chaque fois que Clara était là, Mirabelle était mal à l'aise. Pas parce que Clara n'avait pas l'usage de ses jambes et se déplaçait en fauteuil roulant, mais parce que son fauteuil était un peu encombrant et gênait Mirabelle dans ses mouvements, l'empêchait de manœuvrer. Elle craignait toujours de la blesser en laissant s'échapper un de ses manuels sur elle. Mirabelle n'était pas maladroite, mais il suffisait d'une fois… Le livre de maths avait quatre cents pages ! Clara remarquait sa gêne et y répondait d'un sourire que Mirabelle appréciait. Elles auraient sûrement pu être amies, mais Clara était trop bien entourée, de trop d'amies, et Mirabelle ne voulait pas de gang.

— Mon bazou prend de la place, hein ? dit Clara.

Elle n'avait pas du tout l'air complexée par son état.

— Mais non, c'est moi qui suis maladroite. Mon casier est un vrai fouillis. Je m'y retrouve pas.

— Je comprends, c'est pareil pour moi… Depuis que je suis dans le comité de décoration du bal, j'arrête pas d'engranger dans mon casier un paquet de croquis ! Un vrai bordel !... Tu y vas, toi, au bal ?

Et voilà ! La question fatidique que tout le monde posait au lieu de parler de la pluie et du beau

temps, Clara venait de la lui lancer, elle aussi. Mirabelle redoutait la réaction à sa réponse quand elle
laisserait tomber son « non ».

— Ça me dit rien…

Mais Clara l'étonna par la simplicité de sa
réponse.

— Les bals, c'est comme le reste, on n'est pas
obligé d'aimer ça. Et c'est bien de s'assumer quand
on n'aime pas quelque chose, quand on veut pas
faire ou être comme tout le monde… Ou qu'on ne
le peut tout simplement pas parce que même si on
le voulait, on pourrait pas, lança-t-elle avec un clin
d'œil moqueur en faisant tourner les roues de son
fauteuil.

Mirabelle demeura interdite. En guise de
réponse, elle se contenta de sourire. Elle n'avait rien
à ajouter. Enfin, quelqu'un venait de lui donner le
droit d'être différente ! Elle referma son casier, salua
sa voisine d'un signe de la main et partit preste-
ment. Dans sa précipitation, elle tourna le coin du
couloir et fonça droit dans un grand et beau jeune
homme. Il se confondit en excuses en constatant que
leur choc l'avait blessée. Mirabelle tenta de camoufler ses grimaces de douleur en se tenant le ventre,
mais le garçon, qu'elle n'osa pas regarder dans les
yeux, n'était pas dupe.

— Je suis vraiment désolé.

— C'est pas grave, dit-elle en levant la tête et en
découvrant le visage de son interlocuteur.

Il avait une peau parfaite, un nez bien droit, de
beaux yeux couleur noisette et des cheveux blonds

fins et un tantinet frisottés qui descendaient dans son cou, par-dessus ses oreilles et légèrement sur ses yeux.

Mirabelle demeura saisie. Aussitôt, elle abaissa son regard. Elle avait le sentiment qu'elle le connaissait. Où l'avait-elle vu ? Qui était-il ?

— Ça va aller ? lui demanda-t-il d'une voix douce et attentionnée.

— Oui, oui, lança-t-elle sèchement.

Elle poursuivit son chemin. Elle ne voyait pas les élèves s'activer devant leur casier, tentant désespérément d'arriver en classe avant que la cloche sonne. Elle ne pensait qu'à une chose : qui était ce garçon si charmant qui venait de croiser son destin l'espace de quelques secondes ? Puis, comme si un éclair la frappait, elle se rappela : « Le gars au parc ! C'est le gars du parc ! » Elle le revit, le crayon à la main, la regarder avec attention à chaque tour de piste, presque tous les jours. L'observer comme s'il l'immortalisait sur papier, voire dans le creux de sa mémoire. Elle ne l'avait jamais aperçu à l'école et maintenant il venait de lui parler ! Elle n'avait pas remarqué à quel point son sourire était franc et authentique, ses yeux tendres, et elle ne pouvait évidemment pas avoir découvert avant, sans jamais lui avoir parlé, son ton de voix apaisant. Le calme, oui, c'était bien ce qu'elle avait ressenti. Une sérénité émanait de ce garçon qui pourtant avait l'âge de l'arrogance. Et il avait une façon de la regarder tellement perçante, comme si elle l'intéressait vraiment. Elle secoua la tête pour remettre de l'ordre dans ses pensées. Cet adolescent devait être comme les autres, pas plus brillant, pas moins méprisant… Elle ne devait se faire aucune illusion. Finies les rêveries ! Pour se ramener sur terre, elle pensa qu'elle n'était qu'une boule de coton, une grosse boule de coton qui n'existait pour rien ni personne, à peine intéressante pour sa propre mère. Une voix interrompit ses pensées.

— Salut l'échalote ! lui lança Michael.

C'était un ancien ami de secondaire un, mais qui s'était détaché d'elle avec les années.

Les trois camarades qui l'accompagnaient se mirent à rire.

— Salut, œuf cuit dur ! lança Mirabelle pour se venger, faisant référence au sempiternel lunch que sa mère préparait au jeune homme pour chaque midi.

Ses amis éclatèrent de rire, mais devant le regard frustré de leur copain qui ne rigolait pas du tout, l'un d'eux tenta de défendre Michael en s'adressant à lui.

— Tu devrais plutôt l'appeler « sac de patates », ce serait mieux !

Elle comprit qu'il l'appelait ainsi parce qu'elle était grosse. Beaucoup trop grosse. Quoi de plus gros qu'un sac de patates ! Il venait de la blesser profondément.

— T'es con, marmonna Michael à son ami sans que Mirabelle l'entende. C'est pas parce qu'elle est mal habillée qu'il faut que tu l'appelles « sac de patates ».

Mirabelle entra dans sa classe de physique, soulagée à l'idée de pouvoir se concentrer pendant soixante-quinze minutes sur une matière tangible, rationnelle, qui ne laissait place à aucune interprétation et surtout à aucune émotion.

IVRESSE

★ Antoine avait envahi le sous-sol de chez sa mère pour se mettre à l'œuvre et construire l'un des modules qui allaient constituer le décor du bal, dont le thème, cette année, était les années soixante. Il détestait se retrouver dans cette maison qui lui rappelait trop de souvenirs, bons comme mauvais. Heureusement qu'il habitait maintenant chez son frère aîné.

Il reporta sa concentration sur ce qu'il aimait le plus au monde : créer. C'était sans aucun doute ce qui lui avait permis d'être sain. Il se trouvait tellement chanceux d'avoir une vraie passion. Ça lui était arrivé comme une révélation, un soir qu'il était autour d'un feu avec des amis. Muni d'un canif, il avait commencé à travailler un bout de bois qui avait pris forme humaine et lui avait révélé qu'il avait un véritable talent. Ses amis le lui confirmant, il commença ensuite à travailler la glaise. Aujourd'hui, il était l'un des meilleurs de son école en arts plastiques et voulait gagner sa vie de ses mains, quoi qu'en pensait sa mère. Heureusement, son frère l'appuyait à cent pour cent, l'encourageant à faire ce qu'il aimait dans la vie, envers et contre tous, le convainquant que même si cela était difficile, il pourrait arriver à ses fins avec de la persévérance.

— Qu'est-ce que tu fais?

Il sursauta. Lui d'habitude si calme était toujours tendu dans cette maison qui l'avait vu grandir. Sa mère le regardait, les bras croisés, accotée sur le bras de l'escalier.

— Je fais des éléments du décor pour le bal.

— C'est l'fun. T'es content?

— Tu me connais, dit Antoine en continuant sa besogne. Je trippe et tant que j'ai pas fini, je vais donner tout ce que je peux.

— T'es bien comme ton père.

Antoine ne répondit pas. Il ne savait pas comment prendre ce genre de répliques. Lisa s'avança vers le divan-lit. Antoine découpa un carton et fit tout pour éviter son regard. Il ne voulait surtout pas la voir chanceler sous l'effet de l'alcool. Il préférait croire que, pour une fois, elle n'était pas soûle.

— Je me souviendrai toujours de mon bal des finissants. C'est là où j'ai rencontré ton père…

Elle ne vit pas qu'il soupirait, ne sentit pas la tension de son fils s'élever au fur et à mesure qu'elle s'approchait de lui.

— C'était beau, la jeunesse, l'innocence. Tout était encore possible…

Il connaissait cette histoire, elle la lui avait raconté des centaines de fois, mais il n'osait pas lui dire qu'elle radotait. Si ça lui faisait du bien de vivre dans le passé… Il ne pouvait toutefois pas nier que d'entendre toujours parler de son père le blessait à tout coup. Et elle, cette jeune femme épanouie et entière, qu'était-elle devenue ?

— J'avais une robe rose et lui, un ensemble gris. On était tous les deux célibataires, sans cavalier. En fait, c'est pas vrai, c'est mon cousin, tu sais, ton oncle Gérald, qui m'accompagnait.

Antoine demeura de glace et ne leva toujours pas la tête pour la regarder. Il soupira. Il ne voulait pas l'encourager à continuer cette histoire qu'il connaissait sur le bout de ses doigts. Elle s'écrasa à ses côtés et continua de parler en déformant légèrement les mots, la bouche pâteuse.

— Ton père et moi, on s'est rencontrés devant le buffet. Tu sais comment il était gourmand ! Et moi encore plus ! On a commencé à se parler parce que je venais de laisser échapper mon sandwich aux œufs dans le bol de punch. On a ri, tu peux pas t'imaginer comme on a ri !

Un lourd silence planait dans la pièce. Le ton de Lisa, qui attendait une quelconque réaction de son fils, se durcit. Sa frustration était palpable.

— Est-ce que tu m'écoutes, au moins ?

Antoine tenta de contenir son impatience, mais ne put s'empêcher de lâcher :

— Ben oui, man, mais ça fait au moins cent fois que tu me la racontes, ton histoire !

Lisa se tut instantanément, se leva de peine et de misère et remonta l'escalier en chancelant.

Antoine, seul, se mordit les lèvres. Il détestait être comme ça. Il aurait pu lui sourire, converser avec elle. Si ça la soulageait de parler, pourquoi pas ? Il aurait pu être plus zen, mais c'était au-dessus de ses forces. Il se sentait toujours agressé quand elle parlait de son père. Comme s'il lui en voulait de se complaire dans le rôle de victime. Il avait envie de la prendre par les épaules et de la secouer un bon coup en lui hurlant : « Réveille-toi, maman, bouge, fais quelque chose de ta vie ! T'es pas la première à qui ça arrive, ni la dernière ! » Toutefois, il demeurait tétanisé par un sentiment d'impuissance qui envenimait sa relation avec elle. Sa mère l'exaspérait, elle lui rappelait tout ce qu'il voulait oublier. Il s'en était bien sorti, lui, pourquoi pas elle ?

Il ravala un sanglot et se concentra à nouveau sur sa pièce de décor en ne pensant qu'au moment présent. C'était tout ce qui lui permettait de garder la tête hors de l'eau. Oublier hier, oublier demain.

Orléans, son frère, descendit.

— Maman a pas l'air contente, dit-il. Qu'est-ce que t'as fait ?

— Comme d'habitude… J'ai pas été capable de l'endurer.

— Ah, arrête, dit Orléans en s'assoyant sur le divan. Tu le sais bien que ça va passer…

— Pourquoi t'es là ? T'aimes pas particulièrement revenir ici…

— Toi non plus… dit Orléans.

Il prit les ciseaux pour l'aider.

Antoine le regarda, sans rien ajouter, mais franchement reconnaissant. Après tout, c'était son frère aîné qui lui avait tout appris, qui lui avait fait comprendre à quel point il pouvait faire de la magie avec ses mains. Aujourd'hui, l'élève dépassait le maître ; Antoine était de loin meilleur que son frère qui, lui, n'en était que plus fier. Aucune jalousie ne s'était jamais immiscée entre eux. Au contraire, les épreuves qu'ils avaient affrontées les avaient rapprochés plus que jamais.

Ils travaillèrent ainsi avec une belle ardeur, sans vraiment échanger de paroles. Le module prenait tranquillement forme et Antoine en était plutôt satisfait.

PREMIER CONTACT

★ Dans la cafétéria de l'école régnait une effervescence propre aux fins d'année. Ce n'était pas encore le début des examens, mais la chaleur extérieure rappelait aux élèves que l'été approchait. La majorité d'entre eux avait entrepris des recherches d'emplois pour l'été, d'autres avaient même déjà un boulot à temps partiel. Mirabelle, elle, ne savait toujours pas. Elle ne voulait pas demeurer chez elle pendant deux mois, même si son père lui assurait qu'elle ne manquerait de rien, pas plus cet été que durant l'année. Mais elle tenait à travailler pour gagner son autonomie, pour changer d'air.

Le souffle court de l'adolescente était enterré par le bruit ambiant et elle s'était réfugiée dans un coin reculé de la cafétéria. En regardant son assiette de salade sur son plateau, elle se demandait réellement pourquoi elle s'était donné la peine de commander quelque chose. Elle observait les tomates, les brocolis, les noix de cajou, les morceaux de fromage et se sentait vraiment incapable d'en avaler une bouchée. Elle n'avait pourtant pas pris son déjeuner. Elle savait qu'elle devait se nourrir, mais elle était paralysée.

— T'as pas l'air d'apprécier ?

Mirabelle sursauta.

— Décidément… Je te fais toujours peur ! Excuse-moi, dit Antoine en prenant place devant elle. Je voulais vraiment pas… Est-ce que je peux m'asseoir ?

— C'est déjà fait, non ? dit Mirabelle, moqueuse.

— C'est vrai, constata Antoine en lui souriant.

Ils laissèrent passer quelques secondes de silence qu'elle trouva insupportables. Même si elle s'isolait toujours dans un profond mutisme, elle ne pouvait endurer que le vide s'installe entre elle et un interlocuteur.

Antoine jouait avec la paille de son jus de fruits et finit, heureusement, par rompre ce silence désagréable.

— Ça fait plusieurs fois que je te vois courir et je me demandais si ça te dérangeait que j'assiste à tes entraînements.

— Pourquoi ? demanda Mirabelle, étonnée.

— Je fais des croquis et je trouve que tu fais un beau sujet.

« Un beau sujet, eh bien, on aura tout vu… Moi, un beau sujet ! pensa Mirabelle. Il doit avoir plutôt besoin d'un beau gros sujet. Une belle grosse dinde bien dodue et rôtie au soleil. » Elle se trouva drôle.

— Qu'est-ce qui te fait rire ? demanda Antoine.

— Rien… s'empressa-t-elle de dire. Je pensais à quelque chose…

Elle se ressaisit, prit sa fourchette pour brasser sa salade et contourna la question.

— En fait, je suis pas vraiment un entraînement. Si j'avais un entraîneur, ce serait un entraînement.

— Ah… dit Antoine, désarmé. Et t'as pas d'entraîneur ?

— Pas vraiment. J'en ai déjà eu, mais avec le dernier, ça n'a pas très bien fonctionné.

— T'en as cherché un autre ?

— Pas vraiment, répéta-t-elle, mais j'ai pensé à Mme Lucas.

Sans vouloir l'offusquer, Antoine s'étonna vivement.

— Mme Lucas ! C'est pas un entraîneur que tu veux, mais un dictateur !

Quand il perçut le regard offensé que lui lançait Mirabelle, il se ravisa en adoucissant le ton.

— T'es sérieuse ? Mais il y a tellement de gens qui la détestent !

— Pas moi… C'est sûr qu'elle est dure, qu'elle y va pas avec le dos de la cuillère, mais c'est justement ça que j'aime. Elle m'épargnerait pas. Avec elle, j'irais au bout de moi-même.

Antoine ne répondit rien et tenta de la jauger. Que pouvait-elle vivre intérieurement pour être si intraitable envers elle-même ? De son côté, Mirabelle ne pouvait s'empêcher de se demander pourquoi il ne la laissait pas tranquille. Elle voulait seulement avoir la paix.

Instinctivement, elle se mit à chercher autour d'eux des jeunes qui se moquaient d'elle. Avait-il fait un pari avec ses amis, du genre « Si je réussis à amadouer le sac de patates, je gagne » ? Mais personne, ni à droite, ni à gauche, ne s'intéressait à elle. Elle reporta son regard sur son assiette.

— Est-ce que t'as déjà participé à des compétitions ? lui demanda-t-il, encore curieux.

Mirabelle hésita à répondre à ce garçon. Sa vie ne regardait personne. Elle but une gorgée d'eau de sa bouteille. Elle se sentait piégée. Si elle ne répondait pas, elle devrait composer avec le silence qu'elle exécrait. Si elle parlait, elle devrait se dévoiler un peu et il pourrait la juger. Mais avait-elle le choix ? On lui posait une question. C'était respecter un seuil minimum de politesse que de lui répondre. Elle se lança.

— Ben, quand j'étais plus jeune, j'ai remporté plusieurs médailles aux jeux nationaux.

— C'est vrai ? l'interrompit-il sans cacher son intérêt.

Elle poursuivit en opinant de la tête.

— Mais j'ai eu une mononucléose et j'ai été obligée d'arrêter quelque temps. Ça m'a fatiguée pendant un bout et ça m'a pas servi.

— C'est moche, conclut Antoine.

Il fouilla dans son sac à dos pour trouver son lunch.

Mirabelle le scrutait. Était-il vraiment en train de s'installer pour dîner avec elle ? Elle n'hésita pas longtemps, se leva, mit son sac sur son épaule et débarrassa son plateau.

— Excuse-moi, j'ai un rendez-vous.

Antoine en resta pantois. Il la regarda partir et eut à peine le temps de crier :

— Moi, c'est Antoine !

Elle ne répondit rien, mais il connaissait déjà son prénom. Il avait mené sa petite enquête... Il adorait la consonance de « Mirabelle ». Quel nom mélodieux ! Toutefois, là, maintenant, il ne pouvait s'empêcher de penser qu'il avait l'air un peu ridicule seul dans le coin de la salle, face au mur, un sandwich entre les mains alors qu'autour de lui c'était la fête !

Les filles accueillaient le printemps en se dévêtant autant que le leur permettaient les règlements de l'école tandis que les gars faisaient les coqs en tournoyant autour d'elles et en riant d'un rire guttural, le plus viril possible.

Antoine préféra ne pas se mêler à cette foule et songea quelques instants à Mirabelle. Il y avait longtemps qu'une fille ne lui avait pas fait un tel effet. Pourquoi elle ? Peut-être à cause de son côté mystérieux. Antoine aimait bien la discrétion et n'était jamais attiré par les filles qui parlaient plus vite que leur ombre. Au-delà de ça, il sentait une souffrance inexplicable émaner d'elle et percevait une telle volonté de réussir, de se dépasser, d'exceller dans toutes les sphères de sa vie. Elle l'intriguait et il avait tout simplement envie de la connaître… et espérait que cela serait réciproque. Le fait qu'elle avait fui lui donnait peu d'espoir, mais il était persévérant. Il n'avait pas dit son dernier mot et saurait être aussi patient qu'il le faudrait.

Antoine sortit son livre de biologie et entama la révision pour l'examen qui l'attendait dans quelques jours. Il voulait bien sûr poursuivre des études en arts, mais comptait mettre toutes les chances de son côté et réussir les autres matières avec brio. Il aimerait bien aussi pouvoir travailler avec des animaux et aurait peut-être besoin de ces connaissances pour y parvenir, advenant le cas où le chemin qu'il avait choisi dévierait à un moment ou à un autre.

TOUJOURS DÉÇUE

★ Le soleil avait fait place à des nuages menaçants, puis à une pluie battante. Il avait fait trop chaud. Mirabelle courut jusque chez elle, mais malgré sa précipitation, arriva trempée sous le portique. Elle déposa son sac dans le hall d'entrée et vit celui de sa mère. Alors, elle était là ce soir! Mirabelle ne savait pas trop ce qu'elle éprouvait. Sûrement une certaine joie au début, suivie par de l'appréhension. Elle craignait le perpétuel conflit. Elle secoua son pantalon, tordit ses cheveux et entra dans le salon où son frère jouait avec sa console de jeu.

— Salut, le morveux, lança-t-elle. Maman est là?

— Ouais, quelque part dans sa chambre ou au sous-sol, je pense.

De deux choses l'une, Françoise méditait (ou s'en donnait les airs parce que c'était *in*, pensa Mirabelle) ou elle travaillait. La jeune fille poussa la porte de la chambre de sa mère. Bingo! Elle méditait, un lecteur MP3 sur les oreilles, les yeux fermés, en position du lotus. Traduction: elle n'était pas disponible pour parler à sa fille. Elle ne sortirait que pour le souper, puis partirait se plonger dans un travail des plus urgents. Tout était toujours urgent quand il s'agissait du travail de Françoise. Mirabelle referma la porte.

Son père devait faire cuire des côtes levées sur le BBQ et du riz sur la cuisinière. Mirabelle était un as pour découvrir le menu juste à l'odeur. En arrivant dans la cuisine, elle jeta un œil sur les préparatifs. Rebingo! Pierre-Marc avait mis son tablier de chef et poussait la porte pour sortir de la cuisine et se rendre à la petite terrasse aménagée dans la cour arrière. En ce qui concernait son paternel, ce n'était pas compliqué non plus: elle le trouvait soit devant les fourneaux, soit devant ses maquettes ou les sports télévisés. Il revint dans la cuisine en poussant la porte avec ses fesses, chargé de viande bien juteuse.

La gourmandise de Mirabelle lui jouerait-elle des tours cette fois-ci, l'emporterait-elle sur sa maladie ?

— Ah, allô princesse ! Aide-moi, veux-tu ?

Mirabelle se précipita pour lui tenir la porte ouverte.

— Merci. Va chercher ta mère, dis-lui qu'on mange.

L'adolescente passa dans sa chambre pour enfiler rapidement un t-shirt et un pantalon secs, puis osa entrer dans la chambre de sa mère. Elle tenta de parler assez fort, sans toutefois la brusquer, pour ne pas avoir droit à l'éternel : « Ah, mon Dieu, Mimi, tu m'as fait peur ! J'étais complètement partie ! » Mirabelle détestait quand sa mère jouait au grand yogi. Ça sonnait faux. Peut-être parce que c'était en parfait contraste avec le travail de publicitaire qu'elle faisait et qui lui demandait de trouver les meilleures formules pour encourager la consommation.

— Maman, on mange.

Rien. Sa mère ne bougea pas.

— Maman, on mange ! répéta-t-elle plus fort.

Françoise sursauta et lança spontanément :

— Ah, mon Dieu, Mimi, tu m'as fait peur ! J'étais complètement partie !

Mirabelle soupira.

— C'est prêt, on mange.

Françoise déposa son MP3 sur l'oreiller.

— Je te dis que tu devrais essayer ça, la méditation. On devrait vous enseigner ça comme matière obligatoire dès la maternelle. Ce serait très utile.

Mirabelle ne dit rien, mais eut envie d'ajouter : « Si tout le monde apprenait à être sage depuis l'enfance, personne n'irait étudier la publicité. » Mais elle se tut. Elle n'avait ni besoin, ni envie d'une provocation. Arrivées dans la salle à manger, elles s'assirent à table, attendant qu'on les serve. Françoise toisa sa fille.

— Est-ce que t'as du succès avec cette coupe-là ?

Elle la regardait avec un tel mépris ! Mirabelle sentit ses épaules tomber.

— Qu'est-ce que ça peut bien te faire ? Et qu'est-ce qu'on en a à foutre de ce que les autres pensent ?

— Toi, pas grand-chose, je le sais, ça se voit… Mais une chose est sûre, c'est que j'aimerais que tu me parles autrement ! dit Françoise froidement.

— Ça tombe bien, moi aussi j'aimerais que tu me parles autrement…

Émile n'avait qu'un seul désir : se brancher devant la télé pour ne plus entendre leurs sempiternels affrontements. Heureusement, Pierre-Marc arriva avec le repas, mais Françoise ne laissa pas le calme s'installer longtemps. Elle grimaça.

— Encore de la viande ! Il me semble que ça fait au moins trois fois qu'on en mange cette semaine !

Pierre-Marc la regarda, à la fois désolé et découragé, mais il ne dit rien. Il servit le riz, puis le brocoli et enfin la viande.

— Non, mais c'est vrai, poursuivit-elle, tu pourrais pas essayer autre chose ? Je le sais que t'es pas très tofu, mais il y a d'excellentes recettes de tofu sur Internet.

Pierre-Marc tira sa chaise et s'y assit.

— Je fais ce que je connais, Françoise. Comme ça, je suis sûr que les enfants vont aimer.

Mirabelle ferma les yeux quelques secondes et soupira.

— Les enfants, les enfants ! répliqua Françoise, comme piquée au vif. Si tu leur fais juste de la viande, ils vont aimer juste la viande. Ça prend pas un diplôme en diététique pour comprendre ça.

Mirabelle sentit que cette remarque la visait personnellement. Françoise poursuivit sur sa lancée.

— C'est vrai que t'es pas très Internet, mais je te le dis, va voir les recettes. Force-toi un peu, bon sang !

Cette fois, c'en était trop. Mirabelle explosa.

— Se forcer ! Tu lui demandes de se forcer !

Ses joues étaient marquées de plaques rouges. Elle réagissait souvent ainsi lorsque la colère montait trop fort en elle.

— Toi, tu fous rien ! Il se tape toujours tout ! Madame arrive à la maison, madame médite, madame attend qu'on la serve, madame critique et madame repart travailler !

Françoise demeura stupéfaite quelques secondes. Puis, elle reprit ses esprits et essaya de se défendre.

— Premièrement, dit-elle sèchement, ça prend quelqu'un dans cette famille qui gagne assez bien sa vie pour faire vivre tout le monde.

Elle lança un vif regard à son mari qui ne releva rien.

— Deuxièmement, tu vois quand je te dis que tu devrais faire de la méditation, c'est exactement pour cette raison-là. On dirait que t'as mangé de la vache enragée ! Maintenant, vous m'excuserez, dit-elle en repoussant son assiette, mais j'ai mieux à faire ailleurs.

Elle se leva devant les yeux ébahis d'Émile qui n'avait pas dit un mot et semblait ne pas vouloir le faire. Ce n'était pas le temps d'agacer sa sœur avec des reproches du genre : « Tu vois, avec ton mauvais caractère, tu l'as encore fait partir. »

Pierre-Marc soupira, visiblement triste. Un lourd silence planait.

Mirabelle considéra les dégâts qu'elle avait provoqués en osant affronter sa mère. Elle se sentit terriblement coupable. Elle aurait dû se la fermer, comme d'habitude. Pour elle, le silence valait toujours mieux, même si ça la rongeait de l'intérieur. Elle entendit la porte d'en avant claquer… encore une fois.

— T'en fais pas, dit Pierre-Marc en prenant la main de sa fille, elle cherchait un prétexte pour ne pas manger mon souper. Elle aurait trouvé une autre raison. La prochaine fois, et toutes les autres après, je lui demanderai ce qu'elle veut manger. Comme ça, on n'aura pas de mauvaises surprises.

Des mauvaises surprises, des mauvaises surprises ! Sa mère était synonyme de déception et de mauvaises surprises ! pensa Mirabelle. Il n'y avait jamais rien qui lui faisait plaisir, jamais rien qui la satisfaisait. Toute la famille se donnait pourtant beaucoup de mal. À ce moment précis, et sans s'en rendre compte, Mirabelle se jeta comme un fauve sur la viande dans son assiette. Elle mangeait ! Émile leva la tête pour la regarder faire. Il était à la fois ébahi et content. Sa sœur mangeait enfin ! Mais son bonheur fut de courte durée. Une nourriture aussi rapidement ingérée après de si longues privations ne pouvait rester dans son corps bien longtemps. Après quelques minutes seulement, Mirabelle se leva, se rendit aux toilettes. Elle ouvrit les robinets pour que personne n'entende ce qu'elle allait faire.

Dans la salle à manger, Pierre-Marc posa les deux coudes sur la table, les doigts sur les yeux et soupira.

— Ça va, papa ? s'inquiéta Émile, qui avait le cœur encore plus grand que le ventre, ce qui n'était pas peu dire.

Pierre-Marc le regarda et sourit en lui frottant la tête.

— T'en fais pas, fiston. Ça n'a pas l'air comme ça, mais je suis capable d'en prendre.

Après quelques minutes, Mirabelle revint à table le ventre vide. Le silence s'installa à nouveau. Pierre-Marc le brisa en allumant la télévision sur le réseau des sports.

★ Il faisait gris et plutôt froid aujourd'hui ; le ciel menaçait d'interrompre l'entraînement de Mirabelle. Elle n'y prêtait pourtant pas attention. Elle passerait chez elle avant d'aller à l'école et pourrait se changer, le cas échéant. Elle entra dans le parc et regarda sous les arbres, à l'endroit où il était toujours, en se répétant : « Pourvu qu'il ne soit pas là, pourvu qu'il ne soit pas là. » Elle tourna la tête et vit Antoine, son bloc de feuilles à la main. Elle soupira, son ventre se contracta. Ni le froid, ni la menace de la pluie n'avaient eu raison de lui, mais ce que Mirabelle sentait, c'était qu'elle avait de moins en moins envie de venir s'entraîner de peur qu'il ne soit encore là à la scruter.

Habituellement, pour avoir la paix, son premier réflexe aurait été de changer de lieu, de trouver un autre parc ou même de courir dans son quartier pour ne plus le revoir, mais cette fois-ci, elle ne voulait pas capituler. Elle était habituée à sa routine et ne voulait pas la changer. Elle était exaspérée. Il fallait qu'elle règle ça. Au lieu de poursuivre sa course en ligne droite, en suivant la piste devant elle, elle fonça vers l'adolescent qui en fut le premier surpris. Elle en avait plus qu'assez de se sentir comme un animal dans un zoo ! En tentant de reprendre son souffle, elle s'arrêta devant lui. Elle n'y alla pas avec le dos de la cuillère.

— Quand est-ce que tu vas finir tes dessins parce que je trouve que ça commence à faire long… Je peux te donner ma photo à la place, comme ça, t'auras pas besoin de venir t'asseoir sous la pluie tous les matins.

Antoine la regarda, stupéfait, et bafouilla, mal à l'aise.

— Je suis désolé que ça te dérange… C'est qu'on en avait parlé l'autre fois, à la café. Je pensais que c'était correct.

— Une fois ça va, mais maintenant, j'en ai assez. Qu'est-ce que tu fais, au juste ?

Elle s'avança vers son dessin et ce qu'elle vit la saisit. Cette œuvre était si bien exécutée, lui semblait si réaliste ! C'était elle en tout point, presque aussi parfaite que sur une photo. Elle pouvait voir tous ses muscles en action et l'expression d'un visage qui souffrait, tant il était crispé par l'effort. Elle fut d'abord presque émue par la beauté de cette esquisse, puis elle se mit à la trouver d'une laideur insoutenable. En fait, c'était elle, l'imparfaite, la laide, le « sac de patates », c'était elle qu'elle trouvait insupportable.

— Et tu fais ça avec tout le monde ? demanda-t-elle un peu sèchement, pour rompre le silence.

Elle se gardait bien de le féliciter et de lui dire à quel point elle était émerveillée par ce qu'il avait réussi à créer.

— Non. Seulement avec les sujets qui m'inspirent.

— Parce que je suis inspirante ? surenchérit Mirabelle, étonnée.

Antoine perçut une certaine vulnérabilité qui l'attendrit.

— Oui… Et… belle aussi. Très, très belle.

Mirabelle prit quelques secondes pour l'observer. Se pouvait-il vraiment qu'il ait le béguin pour elle ? Puis, elle se mit à penser à la honte qu'elle éprouverait quand elle apprendrait avec horreur qu'il s'était foutu d'elle. Mirabelle était d'une grande sensibilité, qu'elle cachait derrière une froideur et des répliques parfois cinglantes qui pouvaient paralyser ses interlocuteurs. Elle avait vécu deux peines d'amour et les avait mal supportées. Cette fois-ci, elle ne se laisserait pas blesser. Il n'était pas question qu'elle s'ouvre à qui que ce soit.

— Fais-le à d'autres… dit-elle en tournant le dos et en reprenant le sentier au pas de course.

— Attends ! Attends ! cria Antoine, surpris qu'elle reparte.

Il resta là, interdit. Mirabelle était sans aucun doute comme un cheval sauvage qu'on doit apprivoiser. Antoine était convaincu qu'il y parviendrait, mais ne savait pas encore comment.

SIGNAL D'ALARME

★ Mirabelle ôta ses vêtements et se glissa sous la douche en laissant les jets d'eau couler sur ses cheveux avec un réel bien-être. Elle adorait prendre des douches. Elle imaginait qu'elle lavait son âme entière des pensées qui la souillaient quotidiennement et surtout que les calories tombaient avec l'eau au fond de la douche. Il lui semblait qu'elle laissait chaque fois fondre un peu d'elle-même et espérait qu'une nouvelle peau allait remplacer l'ancienne pour lui permettre d'enfin se sentir bien dans son adolescence, comme lorsqu'elle était petite et qu'elle rêvait d'être une princesse. Mais aujourd'hui, sa douche n'eut pas l'effet escompté. Elle ressentait toujours et encore la même lourdeur dans sa poitrine, comme une boule qui lui compressait le sternum. Elle avait beau se laver et se relaver, elle se sentait toujours aussi sale.

Elle s'accroupit et se mit à pleurer, pleurer. Elle ressentait quelque chose pour ce garçon, mais repoussait ce sentiment très loin. Elle avait si peur…

Son frère la sortit brutalement de ses pensées en frappant bruyamment à la porte à coups de poing.

— Hé, le raisin sec! Laisse de l'eau, il faut que je prenne ma douche!

Mirabelle se releva rapidement, se rinça, ferma le robinet et sortit. Elle ne voyait plus l'image rachitique que lui renvoyait son miroir, pas plus qu'elle ne percevait les cernes qui se creusaient sur son visage. Pour elle, elle était toujours aussi grosse, de plus en plus d'ailleurs. La réalité, c'est qu'elle était maigre comme jamais et que sa santé était maintenant en danger.

Elle enfila son peignoir et ouvrit la porte à son frère. Émile la regarda, ahuri, comme pour la première fois. Il voyait bien que quelque chose n'allait pas. Sa sœur était maigre au point qu'il ne se permettait même plus d'en faire des blagues.

— Tiens, ti-cul, la place est libre ! lui lança-t-elle en prenant la direction de sa chambre.

Elle claqua la porte. Mais au lieu d'entrer dans la salle de bains, Émile rebroussa chemin pour aboutir dans la chambre de sa mère qui se maquillait. Les sourcils froncés, il était visiblement inquiet. Il s'assit sur le lit. Son père, lui, était déjà parti pour le travail.

— Maman, est-ce que c'est normal que Mimi soit si maigre ?

Françoise appliqua du rouge sur ses lèvres minces et jeta un œil à son fils dans le miroir de sa commode. Elle attrapa ensuite une brosse pour coiffer son épaisse chevelure brune et bouclée. C'était une belle femme et les années ne semblaient pas avoir d'emprise sur son visage. Seules deux pattes d'oie s'étaient installées au bord de ses yeux. Mais les nombreuses crèmes antirides qu'elle s'appliquait régulièrement empêchaient d'autres rides de les rejoindre.

— Je sais pas ce qu'elle nous fait, ta sœur, dit-elle, irritée, mais c'est sûrement un de ses trucs pour mieux attirer l'attention, encore une fois. C'est ça, une fille à l'adolescence. J'étais comme ça, moi aussi. Il faut qu'elle se reprenne toute seule en main, qu'elle agisse comme une grande, une fois pour toutes.

Émile ne dit rien, mais ne put s'empêcher de trouver sa mère un peu dure. Sa sœur n'allait pas bien, elle ne riait plus, ne mangeait plus, s'entraînait sans arrêt, mais ce qui le désarmait plus que tout, c'est qu'elle ne le taquinait même plus. Il y avait vraiment quelque chose qui clochait. Elle avait besoin d'aide. Mégane n'était pas comme ça, elle, et pourtant, elle aussi était une adolescente.

— Et si elle avait une maladie grave ?

Françoise appliqua du mascara sur ses cils.

— Si c'est le cas, on la soignera.

— Il faudrait aller chez le docteur, non ?

— Ben non. T'en fais pas, mon coco ! termina Françoise.

Elle se retourna pour le rassurer.

— Ta sœur refuse de vieillir, c'est tout. Ça va lui passer.

LA TÊTE SOUS L'EAU

★ C'était jour de piscine, le cours que Mirabelle détestait le plus puisqu'elle devait s'exhiber devant tout le monde. Habituellement, elle trouvait des prétextes pour le sécher, mais ce matin, elle devait s'y présenter. Mme Lucas avait menacé de la dénoncer au directeur si elle n'y venait pas. Les menstruations n'étaient pas une raison suffisante pour justifier une absence. La professeure arpentait la piscine de long en large en regardant de haut ses élèves nager de peine et de misère dans l'eau froide, et quand quelqu'un n'allait pas assez vite pour elle, elle faisait retentir son sifflet qui résonnait dans la piscine. Le dos rond recouvert d'une serviette pour cacher le plus possible ses formes, Mirabelle se tenait sur le banc en attendant désespérément son tour. Au moins, dans l'eau, personne ne pouvait voir ce corps qui la hantait. Dix élèves crawlaient dans les couloirs du bassin.

— Allez, bande de paresseux ! Plus vite, plus vite !

Ils étaient peu nombreux à apprécier Mme Lucas. Elle avait la cinquantaine avancée, des cheveux gris très courts, peignés sur le côté, et arborait toujours des vêtements de sport bien ajustés qui laissaient découvrir un corps musclé presque sans poitrine. Elle souriait rarement. On aurait dit que les plaisirs lui étaient interdits. C'était peut-être la raison pour laquelle Mirabelle l'appréciait.

— Mariska, Haïtam, Mirabelle, Gabriel, Dominic, Sabrina, Julien, Victor et Samuel : à l'eau !

Les élèves nommés se levèrent pour se plonger sans perdre une seconde dans l'eau froide. Mirabelle lâcha sa serviette en dernier et courut presque pour se jeter dans le bassin afin que personne ne puisse la voir. Pour la majorité d'entre eux, le supplice commençait. Tout le monde craignait la professeure. Mirabelle ajusta ses lunettes de natation et regarda Victor, son voisin, qui, lui aussi, avait mis ses lunettes sur ses yeux. Qu'est-ce qu'ils pouvaient tous avoir l'air imbécile avec leur bonnet de bain ! Pour ceux et celles qui cherchaient à séduire, c'était raté. Victor, sérieux, se concentrait en regardant devant lui, attendant le coup de sifflet qu'il ne fallait manquer sous aucun prétexte.

— Triiiit!

C'était parti. Mirabelle et Victor avaient le malheur de se trouver près du bord de la piscine et donc d'être juste sous le regard de ce professeur intraitable.

— Allez, allez, mais qu'est-ce que vous me faites là? demanda Mme Lucas avec son léger accent belge. Plus vite, plus vite!

Mirabelle donnait tout ce qu'elle pouvait pour dépasser les autres et se dépasser elle-même. Elle voulait battre son record. Mais elle vit du coin de l'œil que Victor la distançait rapidement. Que se passait-il? Elle battit des pieds avec encore plus d'ardeur, ordonna à ses bras, à tous ses muscles, d'accélérer, mais ils ne répondirent pas.

— Allez, jeune fille, dépêchez-vous! Laissez votre paresse de côté et avancez!

Son souffle était de plus en plus court. C'était comme si ses veines étaient remplies de mélasse. Elle n'arrivait carrément plus à suivre. De légers gémissements d'épuisement s'échappèrent de sa bouche. Son ventre lui faisait mal, comme ses poumons et son cœur qui cognait à tout rompre. Soudain, elle sentit qu'elle perdait la maîtrise d'elle-même. Des éclairs stroboscopiques lui apparurent dans les yeux, puis elle ne vit plus rien. Elle coula.

Quand elle revint à elle, un attroupement l'entourait, malgré les récriminations de Mme Lucas qui répétait:

— Faites de la place, allez-vous-en ! Laissez-lui de l'air !

Mirabelle prit quelques instants pour se rappeler où elle était et comprendre ce qui lui arrivait. Elle venait de perdre connaissance et était étendue sur le bord de la piscine, en maillot de bain devant tout le monde ! C'était la pire chose qui pouvait lui arriver. Elle eut le réflexe de se lever pour aller se cacher, mais dès qu'elle souleva la tête, elle fut à nouveau prise de vifs étourdissements.

— L'infirmière s'en vient, mademoiselle. Il va falloir attendre avant de vous lever.

Mariska, qui devinait le malaise de la jeune fille, posa délicatement une serviette sur elle.

— Heu... Tu vas prendre froid.

Mirabelle apprécia ce geste.

— Moi, je le sais ce qu'elle a, dit une fille parmi la foule. Elle est anorexique, c'est évident. T'as vu comme elle est maigre ?

Dans la tête de Mirabelle, ces murmures s'intensifiaient. Elle avait tellement honte. Elle était tellement mal d'être le centre de l'attention, et surtout de montrer sa faiblesse.

L'infirmière arriva en moins de temps qu'il ne faut pour le dire. Et pourtant, pour Mirabelle, cela lui parut une éternité. Mme Lévy se pencha sur elle et lui demanda, avec une voix empreinte de douceur :

— Mais qu'est-ce qui se passe, ma grande ?

Mirabelle eut presque envie de pleurer. Même si cette femme était une inconnue, elle aurait voulu lui tomber dans les bras et pleurer toute la peine

accumulée depuis tant d'années, mais elle se raidit
et dit :

— Je… Je sais pas. Sûrement de la fatigue.
J'étudie beaucoup ces temps-ci.

Mme Lévy l'aida à se relever doucement et l'enveloppa dans la serviette. Ensemble, elles se rendirent au vestiaire, donnant à Mme Lucas le feu vert pour reprendre son cours. Le spectacle était fini. La professeure ordonna instamment aux élèves de retourner dans la piscine.

Assise sur un des bancs près de la douche, Mirabelle courbait le dos. S'il est vrai que l'expression corporelle définit la personnalité, l'adolescente était bel et bien repliée sur elle-même.

Mme Lévy approchait la trentaine. Aussi, elle inspirait confiance. Il était plutôt rare que les élèves aient affaire à elle, mais tous ceux qui l'avaient côtoyée s'entendaient pour dire qu'elle était compréhensive et attentionnée. Elle attendit quelques instants, le temps que Mirabelle reprenne ses esprits, et l'interrogea.

— Qu'est-ce qui se passe, ma chouette ?

— Je le sais pas, je suis vraiment fatiguée.

— Tu ne le sais vraiment pas ? Tu n'as aucune idée ?

— Je suis peut-être malade… dit Mirabelle dont la voix faiblissait.

— Sûrement, affirma l'infirmière. Il faudra passer des tests.

— Non ! s'exclama Mirabelle qui ne put se retenir de sursauter.

— Et pourquoi pas ? Si tu es malade, il faut qu'on t'aide, sinon ça va empirer... Sais-tu de quoi tu souffres ?

Les émotions de Mirabelle oscillaient entre la colère, la tristesse et le désarroi. D'un côté, elle avait envie de se lever et de partir en claquant la porte des vestiaires et en disant à Mme Lévy que ça ne la regardait pas, et de l'autre, elle avait l'ardent désir de se blottir dans ses bras, de se laisser aller et qu'on décide tout pour elle. Elle n'avait plus envie des responsabilités qui venaient avec l'âge. Elle n'avait plus de goût pour cette vie de performances. Elle ne voulait plus être la meilleure, elle avait seulement besoin qu'on la prenne et qu'on la berce. Elle savait que c'était impossible. Des larmes lui vinrent aux yeux, mais elle les ravala.

Toutefois, l'infirmière n'était pas dupe. Elle la prit par les épaules et la tira vers elle, puis relâcha son étreinte quand elle sentit l'élève se raidir.

— Tu sais, Mirabelle, il n'y a pas de mal à demander de l'aide si tu en as besoin. Des fois, on a des peines immenses que même nos parents sont incapables de consoler. Il faut en parler...

Elle prit une pause délibérée, puis se lança.

— Tu es trop mince et je sais que tu le sais. Ton corps vient de te parler et il va falloir que tu l'écoutes, sinon, c'est à l'hôpital que tu vas te retrouver...

Mme Lévy avait beau être l'une des intervenantes les plus empathiques de l'école, Mirabelle n'appréciait pas que l'on vienne jouer dans sa vie, même si au fond, en maigrissant de la sorte, elle lançait à tous un terrible appel à l'aide. Elle se leva fébrilement sans mot dire et se dirigea vers son casier pour prendre ses vêtements. Elle entra ensuite dans un cabinet de toilette pour se changer, sous les yeux déçus de l'infirmière.

Mirabelle était convaincue qu'elle était seule maîtresse de son destin et que personne n'avait à lui dire quoi faire.

Mme Lévy sentait qu'elle était allée trop loin. Elle avait échoué. Mirabelle était fragile ; il lui faudrait conquérir sa confiance. Elle soupira. Elle détestait perdre la maîtrise de la situation. Pourtant, elle avait agi le plus délicatement possible, mais elle avait poussé la franchise trop loin, surtout pour une première rencontre. Elle savait que pour l'instant, il n'y avait plus rien à faire. Tout ce dont cette élève avait besoin, c'était de manger.

ESPOIR OU ILLUSION ?

★ Mirabelle marchait la tête basse dans les couloirs de l'école. Elle avait l'impression que tout le monde la regardait et était persuadée que l'école entière savait. Elle avait tellement honte. Elle devait pourtant continuer sa vie, faire comme si de rien n'était en croisant les doigts pour que l'infirmière n'appelle pas ses parents. La première cloche sonna. Les élèves se rendaient en courant à la cafétéria pour profiter du choix tant qu'il y en avait, en l'occurrence la malbouffe, les premières poutines, les premiers hot-dogs. Mirabelle ouvrit son sac, prit son lunch et le jeta sans scrupule dans une poubelle.

— C'est ta mère qui serait pas contente !

Elle se retourna et vit Antoine.

— Je vais commencer à penser que tu me suis partout ! dit Mirabelle, surprise.

Elle retint un sourire qui aurait indiqué à son interlocuteur qu'elle était plutôt contente de le voir.

— C'est vrai qu'on se voit souvent maintenant. Peut-être qu'on le remarque plus parce qu'on se connaît, dit-il en croquant dans son sandwich.

— Ça doit être ça, dit Mirabelle.

Elle se dirigea vers la porte donnant sur la cour d'école.

Mais Antoine savait bien, lui, qu'il n'y avait pas de hasard. Cette fille le fascinait tant, elle si déterminée et si sauvage qu'il s'empressait de se trouver au bon endroit au bon moment, mine de rien, seulement pour être avec elle. Il aimait la regarder. Il la trouvait esthétiquement agréable et originale avec ses grands yeux tendres, ses longs cils, son visage angélique. Non pas que ses traits fussent parfaits, mais il lui semblait qu'ils lui parlaient. Au-delà du fait qu'elle l'inspirait artistiquement, Antoine avait le don de reconnaître les personnes qui avaient bon cœur, même si de prime abord, elles ne le laissaient pas paraître.

— Tu vas dehors ? demanda-t-il en la suivant. Est-ce que je peux venir avec toi ? Il fait tellement beau.

— Mmmh, mmhh… marmonna-t-elle, loin d'être convaincue ni convaincante.

Mais Antoine était plus fort que ça et il se doutait bien qu'il ne lui déplaisait pas. Ça se lisait dans ses yeux. Lui aussi avait entendu parler de la mésaventure de Mirabelle, mais jamais il n'aurait osé lui en parler directement, par respect, par délicatesse.

Mirabelle plissa les yeux dès qu'elle ouvrit la porte, saisie par le vif soleil de midi. Le mois de mai s'annonçait magnifique. Il ne restait plus qu'un mois et demi avant le bal des finissants et il y avait de l'excitation dans l'air. Ça se sentait bien. Une fois de plus, Mirabelle se tiendrait à part. Elle ne serait pas là où tout le monde serait. Que ferait-elle, ce soir-là ?

Les deux adolescents s'assirent sur l'herbe dans un coin reculé de la cour et gardèrent le silence quelques instants.

— T'as eu combien à ton examen de maths ? lui demanda Antoine.

Il sortit son sandwich du papier d'aluminium et chiffonna ce dernier.

— Quatre-vingt-douze pour cent, répondit Mirabelle.

— Quoi ! Mais comment t'as fait ? C'était complètement débile comme examen ! La moitié de la classe a coulé, je suis sûr.

— J'aime les maths. C'est facile pour moi.

Il leva les sourcils.

— Ah bien pour ça, on se ressemble pas ! Je suis absolument nul en maths.

— C'est que t'as pas encore eu la chance d'avoir un bon prof.

— Non, c'est que j'ai pas la bosse des maths, c'est tout.

— Je crois pas. À voir la structure dans tes dessins, c'est très mathématique. Tu t'en rends pas compte, mais j'ai rarement vu quelque chose d'aussi calculé. Quand j'ai vu tes croquis l'autre jour dans le parc, j'ai vraiment été impressionnée par leur beauté, c'est certain, mais surtout parce qu'il y avait quelque chose de très structuré dans ce que tu faisais. Tes coups de crayons, l'emplacement de tes personnages dans l'espace, les détails. Je te le dis, t'as une force cachée que tu sous-estimes.

— Wow ! T'as vraiment eu le temps d'analyser tout ça ? Tu m'impressionnes.

— O.K., je dis pas que tu vas être actuaire plus tard, mais t'es plus cartésien que tu penses…

— Moi, cartésien ! On aura tout vu !

Il prit une gorgée de jus, sortit un sac de chips qu'il ouvrit et commença à en manger. À ce point, Mirabelle ne savait pas trop si leur odeur la tentait ou la dégoûtait, mais elle lui était reconnaissante de ne pas lui poser davantage de questions sur son dîner, du style : « Tu manges pas ? Pourquoi t'as jeté ton lunch ? » et blablabla… Elle avait besoin de tout sauf de ça. Elle leva les yeux et leurs regards se croisèrent. Des papillons voletèrent furtivement dans son ventre. Il y avait quelque chose entre eux, c'était évident.

— C'est vrai que t'as aimé ce que je dessinais, l'autre jour ? lui demanda-t-il.

— Beaucoup…

— Si tu veux, j'aimerais te montrer ce que je fais d'autre… Est-ce que ça te dirait de venir chez moi un de ces jours ?

— Je dis pas non, ce serait cool ! lança-t-elle sans pouvoir cacher son enthousiasme.

— Genre, ce soir ?

Mirabelle, prise au dépourvu, répondit « O.K. », sans même hésiter, et s'en mordit les lèvres dans la seconde qui suivit. Mais qu'est-ce qui lui avait pris d'accepter ! Elle était folle, ou quoi ?

— Génial ! dit-il en croquant dans une croustille.

Il lui adressa un sourire qui la fit littéralement fondre.

Soudain, Thierry, un ami d'Antoine, arriva et rompit la paix qui s'était installée entre eux. Mirabelle sentit ses épaules tomber et crut aussi lire la déception dans le regard de son nouvel ami.

— Salut ! lança Thierry qui, pas une seconde, ne prit conscience qu'il venait de les déranger.

Antoine lui rendit son salut avec franchise alors que Mirabelle se fit plus timide. Il s'accroupit pour mieux parler à son ami.

— Pis, Tony ! Ça va ?

— Ça va !

Tony ! Il se faisait appeler Tony ! Ça ne lui allait pas du tout, pensa Mirabelle en souriant subtilement.

— Martine voudrait que t'ailles l'aider pour le décor ce soir. Picasso aime pas trop ce qu'elle a fait.

Tout le monde aimait Picasso, ce prof d'arts plastiques qui avait un faible pour les élèves extravertis, les artistes, et Mirabelle était loin d'en être une. Le préféré de Mirabelle, c'était M. Vermette, le professeur de mathématiques de deuxième secondaire. C'était lui qui lui avait appris à aimer cette science exacte.

— Je peux pas ce soir. J'ai quelque chose d'autre, dit Antoine en levant furtivement les yeux vers Mirabelle.

Cette dernière aurait aimé lui dire : « Laisse faire, on va remettre ça, j'irai chez toi un autre jour », mais elle ne voulait pas compromettre son nouvel ami qui désirait peut-être taire le fait qu'il avait invité le « sac de patates » en personne.

— J'ai invité Mirabelle chez moi.

Elle sursauta. Il l'avait dit ! Il n'avait pas honte d'elle ! Il l'avait dit ! Elle en était aussi estomaquée que Thierry. Se pouvait-il que son ami ait un *crush* pour la fille la plus froide et la plus étrange de tout le cinquième secondaire ? Il le regarda quelques secondes pour se convaincre que ce n'était pas une blague, et bafouilla :

— Ben… Tu le lui diras toi-même. Je suis pas certain qu'elle va être contente.

Il se leva et s'en alla.

— Je vais l'appeler, lui lança Antoine.

— Je dois y aller, s'empressa de conclure Mirabelle, qui était littéralement en train de fondre sur place.

Elle se leva.

— Je suis désolé qu'il soit arrivé comme un cheveu sur la soupe, soupira Antoine.

— C'est pas grave, il fallait que je parte de toute façon. Il faut que j'étudie avant mon examen.

— On se voit ce soir, vers vingt heures ?

— O.K. Ça me va.

— Parfait, ben, à ce soir, dit Antoine, visiblement satisfait.

Mirabelle resta devant lui, les mains dans les poches. Il la regarda en fronçant les sourcils.

— Pour me rendre chez toi, est-ce que je dois suivre les marques de terre glaise sur le sol ? lui demanda-t-elle, moqueuse.

— Ah merde ! Je suis con !

Il fouilla dans son sac à dos et déchira une feuille de son agenda sur laquelle il griffonna rapidement son adresse. Il se leva pour la lui remettre.

— J'espère que tu vas comprendre mon écriture.

Elle parcourut rapidement ses indications.

— T'écris très bien. T'as pas vu comment j'écris, moi !

— Mal ?

— Très mal.

— C'est peut-être parce que t'écris aussi vite que tu cours ? hasarda Antoine.

Mirabelle réfléchit.

— Peut-être, j'avais jamais pensé à ça.

Elle lui fit un clin d'œil et l'abandonna. Elle entra dans l'école et marcha fébrilement jusqu'à son casier contre lequel elle s'adossa et se laissa glisser pour s'asseoir sur le sol. Mais qu'est-ce qui lui avait pris de lui faire un clin d'œil! Son cœur battait si fort… Et s'il était sérieux et qu'il avait vraiment de l'intérêt pour elle? Elle ouvrit les yeux en constatant qu'elle tenait bêtement le papier sur son cœur. Elle regarda autour d'elle pour voir si on l'avait remarquée, mais le corridor était plutôt désert. Elle déplia la note et découvrit non seulement son adresse, mais des croquis qu'il avait sûrement dessinés pendant un quelconque cours de science, pour se désennuyer. Il avait aussi écrit des noms de groupes de musique ou de chanteurs qu'il affectionnait particulièrement: Kaïn, Pink Floyd, Karkwa, Vincent Vallières… Mirabelle fut surprise de découvrir qu'ils partageaient les mêmes goûts musicaux. Elle se sentait enivrée à l'idée qu'un garçon si beau, si gentil, si talentueux s'intéresse à elle.

PRISE EN FLAGRANT DÉLIT

★ Mirabelle arriva délibérément en retard pour le souper, après avoir égrainé le temps à la bibliothèque de l'école. Elle accrocha à une patère le manteau qu'elle tenait sur son bras et conserva son sac à dos dans l'autre main. Son père et son frère étaient assis à table et mangeaient en regardant une émission de téléréalité.

— Salut, dit Mirabelle.

Elle jeta un œil aux fettucine à la crème qui trônaient au milieu de la table. En un éclair, elle calcula le nombre de calories de la portion qu'on lui demanderait bientôt d'ingérer et estima la quantité de matières grasses qu'elle contenait. Elle paraissait pressée.

— Je t'ai mis ton assiette au four.

— O.K., merci, mais je pourrai pas manger avec vous. J'ai une tonne de devoirs ce soir. Je vais les faire en mangeant dans ma chambre.

— Écoute, princesse… Il va falloir se parler, dit son père.

Pierre-Marc éteignit la télévision. Mirabelle était déjà dans la cuisine. En entendant cette phrase, elle redouta le pire. Elle soupira en ouvrant la porte du four. Elle se doutait très bien de quoi son père voulait lui parler.

Elle prit les gants sur le poêle et sortit son assiette, puis attrapa une fourchette.

— Je reviens après le repas, c'est promis. Ça a l'air délicieux ! lui lança-t-elle de la cuisine.

D'ici là, elle espérait qu'il aurait oublié. Pierre-Marc n'eut pas le courage de se lever pour aller la voir, et il replongea le nez dans son assiette. Émile le regarda sans rien dire, et agrippa la télécommande pour remettre la télé en marche.

Mirabelle avait un premier objectif qui lui paraissait d'une importance capitale : se débarrasser de tout ce qu'il y avait dans son assiette, jusqu'à la dernière nouille. Elle verrouilla sa porte de chambre. Elle ouvrit la fenêtre et croisa les doigts en espérant trouver, dans la cour, Kaboum, le chien du voisin, un golden retriever irrésistible. Par chance, il était là et, en entendant la fenêtre s'ouvrir, il accourut se placer en dessous. Depuis le temps, il connaissait le manège. Qu'allait-il recevoir aujourd'hui ? Un morceau de viande ? Des pommes de terre au beurre ? Des os, du gras ? En recevant les pâtes qui tombaient un peu partout autour de lui, il courut à droite et à gauche. Il était ravi et gobait tout comme si quelqu'un risquait de lui enlever ce don providentiel. À cet instant, la porte du voisin s'ouvrit et un homme d'une cinquantaine d'années sortit avec de la viande crue dans une assiette. Mirabelle se cacha, mais elle était convaincue que, cette fois, il l'avait vue. C'était malheureusement le temps des barbecues pour tout le monde. Elle ferma la fenêtre en prenant soin d'éviter de faire du bruit et regarda autour d'elle si elle n'avait rien laissé tomber. Elle attrapa quelques papiers-mouchoirs dont elle se servit en guise de napperon, et déposa son assiette sur sa table de travail. Elle sortit ses manuels scolaires, un crayon et commença ses devoirs.

Il fallut peu de temps pour qu'elle entende son voisin cogner à la porte arrière. Elle entendit son père ouvrir, échanger quelques paroles, puis refermer la porte. Et plus rien… Seulement pour quelques minutes. C'est à sa porte à elle qu'on frappa ensuite.

— Mirabelle, sors de là.

Quand il l'appelait Mirabelle, c'était que quelque chose n'allait pas. Une boule s'installa dans son ventre, puis dans sa gorge. Elle ferma les yeux. Elle était prise au piège.

— Allez, ouvre-moi.

Elle se leva. Elle n'avait plus le choix. Elle décida de continuer à jouer le jeu.

— Qu'est-ce qu'il y a ? dit-elle en poussant la porte.

— Tu le sais très bien ce qu'il y a : Kaboum a presque toujours la diarrhée.

— C'est quoi le rapport ? demanda l'adolescente, interloquée.

— Le voisin trouve régulièrement des restes de notre repas dans sa cour. On dirait qu'ils s'envolent par les fenêtres… Et c'est bizarre, c'est sous la tienne que ça se passe.

— C'est vrai… Tu le sais bien que je peux pas résister à un animal qui me réclame de la nourriture.

— Ouais, ben en attendant, il est en train de tomber malade, ton animal, et toi aussi.

— Je vais très bien, qu'est-ce que tu racontes ?

Pierre-Marc soupira. À cet instant, on eut dit qu'il avait pris vingt ans dans le cornet. Il avait l'air défait.

— Mirabelle, l'école a appelé. T'as perdu connaissance, tu maigris à vue d'œil et tu ne manges plus. Je suis pas idiot, même si c'est ce que tu crois.

Elle eut un pincement au cœur. Il sentait donc qu'elle le méprisait. Après tout, c'était peut-être vrai qu'il n'était pas si bête… Et l'école qui l'avait appelé. Rien pour arranger les choses ! De toute façon, la nouvelle aurait fait le tour et se serait rendue à son frère que ça ne l'aurait pas étonnée.

— Viens, on va parler.

LA phrase qu'elle redoutait ! Parler, pour dire quoi ? Pour qu'elle tente d'expliquer ce qu'elle n'arrivait même pas à comprendre elle-même ? Elle savait pourtant qu'elle ne pouvait plus s'en sortir.

Elle sortit de sa chambre, le suivit la mine basse jusque dans le salon et s'assit à côté de lui.

— Pourquoi tu ne manges plus ? Qu'est-ce qui se passe ?

Mirabelle haussa les épaules sans rien dire.

— Il va falloir que tu nous parles sinon, on va être obligés de te faire consulter un psychologue, un médecin. Ça va plus du tout. T'as dû perdre dix kilos en trois mois. À ce rythme, on te verra bientôt plus.

Au fond d'elle, elle était fière, c'était bien ce qu'elle désirait le plus au monde. Gagner le combat contre son corps qui prenait trop de place à son goût. Mais en attendant, elle était bel et bien là, en face de son père et, malgré les innombrables questions qu'il lui posait, elle demeura imperturbable.

— Pourquoi tu fais, ça ? Je te comprends pas. T'es anorexique, Mirabelle ! Tu le sais, ça ? Jusqu'où ça va aller ?

Elle ne savait pas quoi répondre. Elle ne comprenait pas vraiment ce qui lui arrivait, sauf peut-être que son corps et sa tête menaient une chaude lutte contre la nourriture. Elle ne ressentait même plus la faim. Presque plus rien maintenant ne pouvait entrer dans son estomac.

Émile, qui s'était retiré dans sa chambre, écoutait son père derrière la porte, le cœur serré, retenant son souffle.

— Est-ce que tu fais ça pour nous punir, ta mère et moi?

— Ben non…

— Pourquoi alors? Pourquoi tu ne manges plus?

— Je mange, tu te fais des idées!

Pierre-Marc se leva et marcha de long en large devant elle. C'était la première fois que Mirabelle le voyait dans cet état, si perturbé, sa respiration s'accélérait, sa voix chevrotait.

— Mirabelle, arrête ça avec moi, s'il te plaît!

Il monta le ton et s'arrêta net devant elle, lui lançant un véritable cri du cœur.

— T'étais une belle jeune fille et là, t'es devenue un paquet d'os! Il faut que tu te réveilles!

Mirabelle releva la tête, les yeux dans l'eau. Jamais son père n'avait osé parler comme ça à quiconque. Il adoucit le ton de sa voix.

— Princesse, tu dois te reprendre en main. Et on est là pour t'aider.

— J'ai pas besoin de votre aide, lui dit-elle froidement en se levant.

Pierre-Marc la regarda partir, incapable de rajouter quoi que ce soit.

Sa fille s'enferma dans sa chambre et éclata en sanglots. Tout ça était devenu trop lourd pour elle. Elle voulait simplement en finir.

* * *

La sonnerie du téléphone la réveilla. Quand elle vit le nom de Mégane sur l'afficheur, elle renifla un bon coup et répondit en décidant de ne rien lui dire. Lui raconter le coup du chien et la discussion avec son père, c'était entamer avec elle une conversation qu'elle n'avait vraiment pas envie d'avoir. Elle ne parla que d'Antoine et de son rancart qu'elle avait tellement envie d'annuler.

— Mais t'es folle ! Si tu vas pas chez lui ce soir, je te parle plus jamais !

Mirabelle se regarda dans le miroir en se demandant bien comment elle pourrait faire disparaître la rougeur de ses yeux avant le soir. Puis, elle s'assit sur la chaise en osier suspendue au beau milieu de sa chambre. Elle aimait bien s'y balancer en parlant au téléphone ou en écoutant de la musique. Elle avait l'impression que ça clarifiait ses idées.

— Mais tu me connais, quand je suis avec un gars, je suis ultra nulle ! Il va apprendre à me connaître, il voudra plus jamais me voir.

— T'es bête ! Et de toute façon, chérie, qu'est-ce que tu risques ? Ne pas le voir ce soir ou jamais essayer de le voir au cas où il voudrait plus te voir ? C'est complètement con !

— Argggghhhhhhhhh ! fit Mirabelle. Tu m'énerves !

— Parce que j'ai raison, ajouta Mégane fièrement.

Avec son pied, Mirabelle accrocha sa commode et se donna un élan pour se balancer.

— Mais je veux pas y aller! Je peux pas croire que ce soir (elle regarda sa montre), dans moins d'une heure, je vais être en train de discuter avec lui.

— Si tu savais comme t'as de la chance. Et tu sais quoi? Je pense qu'il est fou de toi…

— Arrête! l'interrompit Mirabelle. Ris pas de moi!

— Cocotte, ça fait un mois qu'il te tourne autour. Quand c'est pas au parc Beaubien, c'est à l'école. S'il avait voulu perdre son temps, il l'aurait fait ailleurs. Prends le risque. Tu savais qu'il préparait un module pour le décor du bal des finissants?

— Pour ce que j'en ai à faire, répondit Mirabelle sur un ton qui trahissait une amère déception. Tout le monde allait participer à un événement auquel elle n'assisterait pas, une fois de plus.

— Viens avec moi au bal! Je largue Marcos et on y va ensemble, comme deux meilleures amies.

— Là, c'est toi qui es folle! Marcos Domingue, c'est le deuxième gars le plus *hot* de secondaire cinq. Et on passerait pour des « lesbouches ».

— Alors là, si tu savais ce que je m'en fous de ce que les gens pensent de moi.

— T'es bien chanceuse…

— O.K. pour le bal, mais vas-y au moins ce soir.

Mirabelle soupira en remontant son pied droit sur le rebord de la chaise. Son pied gauche, quant à lui, grattait le tapis bleu et faisait valser la balançoire. Comme le reste de la maison, la chambre de l'adolescente était impeccablement bien rangée. On lui avait appris comment chaque chose devait avoir sa place. Son rangement était en parfait contraste avec le fouillis qui envahissait ses émotions, ses pensées.

Son père avait dessiné des mouettes au plafond, de sorte que, lorsqu'elle était couchée dans son lit matelot, elle avait l'impression d'être dans un bateau. Pierre-Marc adorait tous les moyens de locomotion.

— C'est bon, t'as gagné… Je te rappelle demain, dit Mirabelle en posant le téléphone sur sa base.

Elle venait de se laisser convaincre d'aller à son rendez-vous. Restait à savoir maintenant quels vêtements elle mettrait. Elle avait un style particulier qui était loin de plaire à tout le monde. Ses mains devinrent moites quand elle pensa à Antoine. Elle avait pourtant la conviction qu'il n'était pas comme les autres. Elle avait envie d'y croire. Il l'aimerait comme elle était, aussi grosse… ou maigre fût-elle, sinon, c'était tant pis pour lui ! Du coup, son stress diminua.

Elle choisit une courte jupe noire, une camisole rouge ample et des leggings rouges par-dessus lesquels elle fit monter les lacets de ses sandales plates en cuir. Elle se regarda longuement devant le miroir de sa coiffeuse immaculée. Les leggings la moulaient trop. Elle était remplie de doutes, mais revit le regard que lui portait toujours Antoine. Elle se dit qu'après tout elle n'était pas si mal. Elle fut surprise d'avoir eu cette pensée positive et s'en trouva ravie.

Elle entendit la porte d'entrée claquer. Sa mère venait d'arriver.

Elle s'assit sur le tabouret de sa coiffeuse, attacha avec des barrettes les cheveux qui repoussaient sur ses tempes et noircit le contour de ses yeux d'une fine ligne de crayon. Elle se regarda quelques secondes, assez pour avoir l'impression qu'elle était plutôt mignonne, mais ferma rapidement les paupières. Elle préférait encore penser à Antoine, mais malheureusement, à force de tenter de faire apparaître le visage de ce garçon dans sa tête, son image s'en effaçait tranquillement. Mirabelle ne voyait plus ses traits avec précision.

Elle rouvrit les yeux, jeta un coup d'œil à sa montre. Il était bientôt l'heure de partir. Elle se leva, mais perdit pied et tomba. Sa tête tournait. Elle inspira profondément pour reprendre ses esprits. Son pouls se calma.

Elle sortit de sa chambre et passa en coup de vent devant la salle à manger où son père collait des pièces minuscules sur une voiture.

— Je m'en vais faire un tour.

— Mirabelle, attends ! l'arrêta sa mère, qui sortait de sa chambre.

La jeune fille stoppa son élan. Françoise la regarda de la tête aux pieds.

— Où est-ce que tu t'en vas habillée comme ça ? Pas à une entrevue pour un emploi, j'espère ?

— Maman, laisse-la, soupira Émile dans le salon, un sac de maïs soufflé entre les jambes.

— Je m'intéresse à ma fille, Émile, dit Françoise avec ironie. De toute façon, t'as pas à me dire quoi faire à ton âge.

Pierre-Marc leva la tête vers elle. Mirabelle sentit son cœur se désintégrer. Elle n'avait qu'une seule envie : s'enfuir au plus vite.

— Je disais ça comme ça, ajouta Françoise. C'est juste que c'est bizarre. Tes jambes, on dirait deux pics qui sortent d'un parapluie.

— T'as fini ? demanda sa fille. C'est tout ce que tu voulais me dire ?

— Tu devrais comprendre que ce que je veux, c'est ton bien.

— *You bet*, marmonna Mirabelle en tournant les talons.

Elle claqua la porte d'entrée sans dire au revoir.

En quittant la maison, elle se demandait bien comment elle pourrait avoir un gramme d'estime d'elle-même avec des remarques pareilles. Sa mère était toujours aussi mesquine et Mirabelle n'arrivait pas à comprendre pourquoi. Elle en était chamboulée, mais se retint pour ne pas verser de larmes. Pas ce soir…

DANS SON UNIVERS

★ Le vent était bon, le fond de l'air doux. Elle appréciait ce temps printanier. Elle regarda dans sa main l'adresse qu'elle y avait écrite et parcourut du regard les numéros des portes qui s'alignaient rue Beaubien. Elle avait un de ces maux de ventre! Il s'en était fallu de peu qu'elle rebrousse chemin. Mais elle avait dit O.K. pour être là à vingt heures précises et elle y serait. Le 2057 était devant elle. Son cœur se serra dans sa poitrine. Elle vit le rideau remuer et prit panique, croyant qu'Antoine guettait son arrivée, mais le gros labrador noir qui apparut sur le rebord de la fenêtre la rassura. Elle devait y aller. Six marches la séparaient de son but.

Elle prit son courage à deux mains, gravit les escaliers et cogna à la porte. Antoine ouvrit et l'accueillit avec son grand sourire. Ce qu'il était craquant!

— Salut!

— Salut! répondit Mirabelle.

Elle remarqua immédiatement à quel point il sentait bon. L'odorat était sûrement son sens le plus développé. Aussi, l'odeur de tabac qui assaillit ses narines dès qu'elle entra dans le vestibule la surprit. Il était devenu tellement rare de nos jours que des appartements sentent la cigarette.

— Entre.

Elle pénétra dans le salon, déposa sa veste sur un divan puis se pencha pour caresser le chien venu à sa rencontre.

— Comment il s'appelle?

— Haddock.

— Bonjour Haddock, dit-elle, avec affection. Tu trippes sur Tintin? demanda-t-elle à Antoine.

— Surtout sur le capitaine, déclara Antoine.

Il était attendri par les câlins et les bisous qu'elle prodiguait à son chien.

Ce dernier était loin de s'en plaindre. Sa queue battait fort et frappait le cadre de la porte en émettant un bruit sourd et répétitif. Quant à Antoine, qui découvrait Mirabelle sous un nouveau jour, il la trouva irrésistible. C'était la première fois qu'il la voyait s'abandonner à l'émotion. Elle se releva en mettant son sac à dos sur son épaule.

— Mirabelle, je te présente Orléans, mon frère, dit Antoine.

— Salut, répondit Orléans.

— Salut, dit Mirabelle en levant la main.

Couché, il avait les deux jambes pendantes sur le bras du fauteuil et tenait une cigarette entre ses lèvres. Sa paupière gauche se fermait pour que son œil ne reçoive pas de fumée.

Mirabelle le trouvait mignon lui aussi, mais avec un air plus rebelle que son frère. Ses cheveux, liés par un élastique, descendaient sur sa nuque. Il avait des lèvres charnues et un nez plus large qu'Antoine, mais ça lui donnait un certain charme. Ses cheveux étaient plus foncés aussi, tirant sur le brun. Elle était convaincue qu'il devait plaire aux filles. Elle sentit même un certain malaise émanant d'Antoine qui s'empressa de lui faire poursuivre la visite des lieux. Craignait-il qu'elle ne puisse résister à son frère ? Ils passèrent par la cuisine et atteignirent sa chambre-atelier. Mirabelle fut stupéfaite. Il y avait des sculptures partout, à droite, à gauche, sur des étagères, au sol, en train de prendre vie sur la table de l'atelier.

— C'est toi qui as fait tout ça?

— Oui, laissa tomber Antoine, comme si ce n'était pas grand-chose.

Mirabelle ne pouvait rien ajouter, mais son expression en disait long sur son étonnement. Sa tête virevoltait en tous sens. Les œuvres d'Antoine étaient modelées dans la glaise : ici, un gros monsieur qui mangeait un hot-dog, là une vieille dame qui donnait des graines à des pigeons, encore ici une fillette qui jouait au ballon... Ils avaient l'air réels sur leur socle.

— Assois-toi, l'invita Antoine en lui désignant un lit dans le coin gauche de la pièce, juste à côté d'un téléviseur et d'une chaîne stéréo.

Mirabelle s'exécuta.

— Mais quand trouves-tu le temps de faire ça?

Antoine choisit une figurine sur la table et vint la rejoindre.

— Bof... à temps perdu. Je sors pas beaucoup. Ça me dit rien. J'aime encore mieux sculpter.

Mirabelle allait d'étonnement en étonnement. Comment ce garçon aussi populaire pouvait-il, comme elle, préférer rester à la maison les soirs et les fins de semaine? Et lui, il ne le faisait pas faute d'amis, mais tout à fait volontairement.

— Est-ce que t'as un travail? demanda-t-elle.

Il prit place à côté d'elle. Elle ressentit un léger vertige lorsque sa cuisse effleura la sienne.

— Oui, j'ai pas le choix…

Il leva la tête et la fixa, comme s'il avait le désir de la faire entrer dans ses confidences. Trop intimidée, elle détourna son attention en le relançant d'une question.

— Comment ça, t'as pas le choix?

— J'habite avec mon frère. Il faut que je paie ma part de bouffe et de loyer. Il s'occupe du reste.

Mirabelle se sentait soudain différente de lui, prise dans le luxe dans lequel elle vivait quotidiennement. Elle mourait d'envie de lui demander pourquoi il n'habitait pas avec ses parents, mais elle trouvait qu'elle avait déjà été assez curieuse. À la place, elle tenta de percer le mystère de la figurine qu'il faisait tourner dans ses mains. Elle n'arrivait pas à la voir.

— Qu'est-ce que c'est?

Le plus simplement du monde, il regarda ses mains quelques secondes et répondit.

— C'est toi.

Il lui dévoila l'œuvre. C'était elle! C'était elle qui courait! Elle se reconnaissait bien dans son survêtement de sport, en mouvement. Antoine avait réussi à faire ressortir tous les muscles de ses bras, de son cou, l'intensité de l'effort sur son visage. Mirabelle était à la fois émerveillée et apeurée. Quelqu'un sur terre, en l'occurrence le garçon le plus populaire de cinquième secondaire, l'avait figée en sculpture, elle, la petite elle. Un instant, en effet, elle se trouva vraiment petite. L'opinion qu'elle avait d'elle-même, de son physique était différente. Elle était réellement fascinée.

— Eh bien ! Tu m'impressionnes !

Elle se sentait tomber dans des émotions intenses qu'elle ne connaissait pas et qui l'effrayaient.

— Pas pire, hein ?

Il sourit de toutes ses dents. Encore ce sourire qui la faisait littéralement fondre ! Cette fois, elle lui répondit avec le même sourire franc. Ses yeux à elle traduisaient toute sa vulnérabilité. Son cœur battait la chamade.

— Combien de temps ça t'a pris, pour faire ça ?

Antoine hésita en calculant rapidement.

— Deux semaines, peut-être trois.

— C'est vraiment fascinant.

Elle était réellement épatée et lui, pas peu fier de l'impression qu'il lui avait faite. Elle tenait la sculpture et la scrutait sous tous les angles, en la tournant et la retournant encore.

— Est-ce que t'es prête pour le bal ?

Oh non ! Pas encore cette question ! pensa-t-elle. Elle sentit ses épaules tomber. Pourquoi fallait-il que toute l'attention soit mobilisée sur un seul sujet ? Et chaque fois, alors qu'elle voulait attirer le moins possible de regards sur elle, elle se trouvait obligée de lancer la même phrase.

— J'y vais pas.

Cette fois, sa réponse ne sembla pas déclencher la même réaction d'étonnement que chez les autres interlocuteurs. Antoine la regarda quelques secondes et prit une petite voix.

— Même pas avec moi ?

Elle le regarda droit dans les yeux. Aucun mot ne pouvait s'échapper de sa bouche. Ou plutôt, un seul, qu'elle trouva totalement ridicule :

— Hein ?

Quoi ? Elle avait dit « Hein ? » ! C'est tout ce qu'elle avait trouvé à dire ! « Hein ? » Ce qu'elle pouvait être idiote ! Mais Antoine n'était pas du genre à la juger. Aussi poursuivit-il.

— Honnêtement, il n'y a qu'avec toi que j'ai envie d'y aller et, comme je fais partie des créateurs du décor, je suis bien obligé de m'y pointer. Si tu m'accompagnais, ce serait vraiment génial.

— J'ai rien à me mettre, protesta faiblement Mirabelle en reportant son attention sur la figurine. Puis de toute façon, c'est pas mon truc. Je suis pas très « bal ».

— Moi non plus, je suis pas très bal. En fait, ce sera la première fois que j'irai dans un bal, dit-il, taquin.

— Tu sais ce que je veux dire…

— C'est comme tu veux… Mais c'est dommage. J'inviterai personne, donc si tu changes d'idée, fais-le-moi savoir.

Elle avait repoussé l'invitation d'Antoine ! La stupide, elle l'avait repoussée ! Elle s'en voulait tellement qu'elle n'écoutait plus ce qu'il lui racontait. Il lui parlait de sculpture, d'école, d'amis. Elle ne pensait plus qu'au bal, qu'à lui. Sa cousine la sermonnerait sans fin lorsqu'elle apprendrait qu'elle avait osé négliger une telle invitation. Et si elle changeait d'idée maintenant? Non, elle aurait l'air trop bête! Elle n'était pas si accro… Enfin, pas encore. Chose certaine, elle n'aimait pas la douleur qu'elle éprouvait en ce moment. Elle n'appréciait pas le doute, la peur de l'engagement et la crainte d'avoir encore mal qui l'envahissaient. Mais l'aimait-elle? Déjà? Chose certaine, il lui plaisait bien…

— J'ai quelque chose pour toi, dit-elle en se penchant pour ramasser son sac à dos.

Elle ouvrit la pochette avant et en sortit un livre qu'elle tendit à son ami. En lisant le titre, il éclata d'un rire franc.

— *Les Mathématiques au service de l'art*!

— Je te garantis qu'avec ça, tu vas devenir un top en maths!

— Tu lâches pas prise, toi!

— Je suis comme ça. Ça me prend du temps, mais quand je m'accroche, c'est vrai, je lâche pas facilement…

Il espérait qu'elle faisait allusion à leur relation naissante et la regarda droit dans les yeux. Il se sentait bien.

POUVOIR DE PERSUASION

★ — Tu dois absolument venir demain, déclara Mégane en croquant une pomme et en rangeant ses livres dans son casier.

Mirabelle fit la moue. Elle n'avait pas très envie de se rendre à ce party, mais elle savait très bien que c'était le prétexte idéal pour manquer la fête de l'oncle Adélard, le frère de sa mère, qui avait lieu la même date, soit demain samedi.

— Est-ce que ta mère va être là ? demanda Mirabelle à sa cousine.

— Oui, mais tu la connais, c'est pas elle qui va nous déranger.

— Non, je le sais bien… Au contraire. C'est tout ce qui pourrait me convaincre. Ça fait tellement longtemps que je l'ai vue.

Victor passa près d'elles et les salua de la main.

— Tu le trouves pas de ton goût, Victor ? murmura Mégane d'un air intéressé.

Elle accrocha son cadenas à son casier.

— Pas vraiment… soupira Mirabelle qui savait très bien que Mégane aimait les hommes en général.

— C'est vrai, toi, t'as d'yeux que pour un seul.

— Ah, arrête… répondit sa cousine, qui n'avait pas du tout envie de se faire agacer à propos de ses sentiments.

Elle était tellement incertaine, elle-même, de tout ce qu'elle ressentait qu'elle préférait faire comme si de rien n'était. Dès qu'elle pensait à Antoine, son ventre se serrait, un effet peut-être généré par un sentiment naissant.

Dans le corridor, le brouhaha qui accompagnait toujours les changements de cours lui donna la migraine. Elle fronça les sourcils.

— Donc, c'est un oui ? insista Mégane.

— Qui y va ?

— Je sais pas trop encore. Mes vrais amis, plus sûrement quelques autres copains des copains. Tu sais comment c'est. Mais je vais faire en sorte que ça reste intime.

— Ouais… mais avec ta mère, c'est pas mal porte ouverte !… T'es vraiment chanceuse de l'avoir.

— Peut-être, mais moi, j'ai plus de père. Parti, envolé.

— Tu le vois quand même deux fois par année.

— Quand il est généreux et qu'il veut bien sortir de son luxueux appartement de Paris.

Elles entrèrent dans la classe d'arts plastiques. Picasso, leur professeur, était entouré d'étudiants qui admiraient l'une de ses œuvres. Mirabelle leva les yeux au ciel. Elle les trouvait ridiculement groupies et ça l'énervait… comme beaucoup d'autres choses d'ailleurs.

— C'est toujours bien mieux d'avoir un père à temps partiel qu'un père qui passe sa journée à coller des modèles réduits…

— Ah, Mirabelle ! Ton père t'adore. O.K., il est un peu quétaine par bouts, mais il est présent, lui, au moins. Il t'écoute…

— Je lui parle jamais, l'interrompit sa cousine. C'est facile.

Mégane sourit en hochant la tête. Elle savait bien qu'elle n'arriverait à rien sur ce terrain-là. Mirabelle était convaincue qu'elle avait des parents tarés, les pires de la terre et rien ni personne ne pourrait la faire changer d'avis. Mégane sortit le dessin au fusain qu'elle avait terminé chez elle et rejoignit les filles attroupées à côté du professeur que beaucoup considéraient comme le plus cool de leurs profs. Mirabelle soupira à nouveau. Elle était certaine qu'elles déblatéraient toutes à propos de la soirée du bal. Raison de plus pour rester seule à son chevalet. Pourvu que le cours commence pour finir au plus vite !

CONTACTS

★ Du coin de la rue Christophe-Colomb, elle entendait déjà la musique résonner. Il faisait très frais et il lui semblait que l'air lui glaçait les os. Il faut dire qu'il ne lui restait pas beaucoup de gras pour la protéger. Ça sentait même plus l'automne que le printemps et le vent lui gelait le bout du nez. Heureusement, elle avait eu la bonne idée de revêtir des pantalons et une veste en jeans. Avec le chandail en polar qu'elle portait en dessous, elle ne risquait pas de prendre froid.

Une rafale lui arracha sa casquette et la fit virevolter jusqu'au sol. À peine avait-elle eu le temps de la ramasser qu'elle laissa échapper un cri. Un jeune homme avait surgi devant elle.

— Grand nono ! hurla-t-elle à Antoine. Est-ce que tu me suis ou quoi ?

Antoine fut amusé de la voir se mettre dans un tel état.

— Je te jure, c'est un pur hasard.

— Et où tu vas?

— Au même endroit que toi, j'imagine, dit le jeune homme en reprenant sa marche.

Mirabelle le suivit, craignant de comprendre la situation.

— Tu connais ma cousine?

— On s'arrange bien pour connaître qui on veut... répondit-il en lui jetant un regard tendre.

— Sans blague, tu la connais d'où?

— Elle a toujours le nez fourré au local depuis qu'on prépare le décor. J'ai pas eu le choix de la connaître. Elle veut absolument tout savoir du bal.

— C'est un drôle de hasard quand même, non?

Il la fixa, mais cette fois d'un air moqueur.

— Tu sais, Mirabelle, le monde est petit... On dit qu'on est à six personnes de connaître tout le monde.

Mirabelle... Il l'appelait Mirabelle... Ça lui faisait tout drôle et, en même temps, ça sonnait si joliment à ses oreilles. Elle revint à ce qu'il venait d'affirmer.

— Hein? Je comprends pas.

— Entre toi et le pape, il n'y aurait pas plus que six personnes. Tu connais quelqu'un qui connaît quelqu'un qui connaît quelqu'un qui connaît quelqu'un qui connaît quelqu'un qui connaît le pape.

— Pourquoi le pape?

— Parce que c'est sûrement la personne que tu t'attends le moins à rencontrer dans ta vie.

— On sait jamais! répliqua Mirabelle en marchant vers l'entrée de chez Mégane. Je suis presque une sainte, tu sauras. Je suis en train d'acheter mon ciel.

— J'en doute même pas! dit Antoine en lui faisant un clin d'œil.

Il fouilla dans sa poche pour en sortir un papier sur lequel était inscrite l'adresse du rendez-vous. Il prit un air dubitatif.

— C'est ici? lui demanda-t-il.

— Oui.

— Ah… Ça doit pas être le bon party. J'ai pas la même adresse.

Mirabelle sentit une grande déception monter en elle. Son cœur se mit à battre la chamade. Mais Antoine ne la laissa pas longtemps dans le doute.

— Mais non! C'est une blague. Allez, fit-il en la laissant monter l'escalier.

— Très drôle…

Mirabelle ne prit pas la peine de sonner, ni de cogner. Personne ne les entendrait avec tout ce boucan. Elle tourna la poignée et se laissa envahir par le bruit et la chaleur. Il y avait une telle foule! Et dire que Mégane avait parlé d'un party intime! N'importe quoi pour faire sortir Mirabelle de chez elle. Et elle avait réussi… En regardant tous ces gens, Mirabelle avait l'impression d'être à l'école. Elle connaissait à peu près tous les visages sans connaître vraiment personne. Les jeunes tentaient de parler, mais la musique couvrait leur voix. Certains buvaient de la bière, d'autres du vin, d'autres encore du punch. Mirabelle savait déjà qu'elle ne boirait pas d'alcool. D'une part pour ne pas engraisser, d'autre part pour éviter de perdre le contrôle.

Tous les fauteuils du salon étaient occupés, tant et si bien qu'il y avait du monde par terre. Une foule s'animait aussi devant la télé en jouant à *Guitar Hero*. Mirabelle sentit l'angoisse monter en elle. Elle se demandait vraiment ce qu'elle venait faire dans ce guêpier. Elle avait l'impression qu'elle n'y avait pas sa place… et pour cause ! Parmi toutes les personnes qu'elle croisait, aucune ne la saluait. C'est à peine si on lui souriait.

Au contraire, Antoine derrière elle ne cessait de recevoir des *high five*, des tapes sur les épaules et des saluts, de près comme de loin. Il était tellement aimé… Mirabelle ne s'en trouvait que plus seule. Elle sentit toutefois la main d'Antoine se poser sur son épaule, comme s'il désirait la rassurer, comme s'il percevait son malaise.

Ils se frayèrent lentement un chemin vers le salon. Mégane apparut, surgie semble-t-il de nulle part. Elle embrassa Mirabelle en la serrant très fort dans ses bras.

— Je suis tellement contente que tu sois venue !

— Une chance que ça devait être intime…

— Ben quoi ? Moins de trente personnes, c'est intime !

Mirabelle lui fit une moue en échange de laquelle sa cousine lui envoya un clin d'œil.

— Déconstipe-toi un peu et amuse-toi !

— Est-ce que ta mère est là ?

— Elle est partie chercher de la bière.

Mirabelle hocha la tête. Que sa tante soit cool, elle le savait, mais la complice de sa fille à ce point, elle ne s'en serait pas doutée. Elle enviait sa cousine et, quand elle y pensait un peu, son cœur se serrait. Il lui apparaissait encore plus évident que sa relation avec sa propre mère était un véritable échec.

Le temps qu'elle parle à Mégane, déjà, la main d'Antoine avait disparu. Elle se retourna pour le chercher et le vit en pleine discussion avec des amis dans un coin du salon. Un doute l'envahit. Avait-il honte d'elle ? Trouvait-il qu'elle était un fardeau pour lui ? Quand elle le regardait, elle craquait littéralement. Serait-elle capable de s'en défaire aussi facilement, simplement par peur de tout ce qu'il représentait ? Et encore cette question assassine qui revenait la hanter : « Pourquoi moi ? Pourquoi moi ? » Autour de lui, il y avait pourtant tant de filles encore plus jolies et plus charmantes qu'elle… Mais il ne les regardait pas. Pas comme il la regardait elle, en tout cas.

— Es-tu contente ? lui demanda Mégane, la surprenant dans ses pensées.

— De quoi ?

— Que je l'aie invité ? Qu'est-ce que tu veux que ce soit d'autre !

Mirabelle la jaugea, regardant son sourire coquin.

— C'est bien ce que je pensais. C'était prémédité !

— Est-ce que tu l'avais invité ?

— Non, avoua Mirabelle.

— C'est bien ce que je pensais ! T'es pas encore prête pour faire les premiers pas.

— Mais il m'avait pas invitée non plus, je te ferai remarquer.

— C'est certain ! C'est un homme de parole, ajouta Mégane en prenant une gorgée de punch.

— Comment ça ? dit Mirabelle.

Elle se retira dans la cuisine pour chercher un peu plus de calme et Mégane la suivit.

— Parce que je lui avais demandé de rien te dire.

— Et pourquoi ?

— Parce que tu serais pas venue !

— Comment tu sais ça ?

— Parce que je te connais.

Mirabelle devait bien avouer qu'elle trouvait que tout ça allait un peu trop vite pour elle. Qu'ils se côtoient à l'école, passe encore. Qu'ils se voient une fois de temps en temps chez lui, d'accord, mais de là à montrer leur affection en public, il y avait un pas qu'elle ne voulait pas franchir tout de suite.

L'hôtesse de maison se fit interpeller par une de ses invitées et disparut. Du coup, Mirabelle était abandonnée à elle-même, près du comptoir de la cuisine, assistant au va-et-vient de ceux qui se prenaient une bière dans le frigo ou se rendaient aux toilettes, au bout du corridor. Deux filles s'avancèrent, prises d'un fou rire. C'est à peine si elles tenaient debout. En les écoutant, Mirabelle pensa qu'elles caquetaient comme des poules et se moqua intérieurement de leur comportement. Leurs propos n'avaient ni queue ni tête, mais un sujet ressortait dans leur conversation : elles parlaient du bal des finissants. Encore…

— J'ai trouvé ma robe rue Saint-Hubert… Tu devrais me voir, j'ai l'air d'une vraie groupie des années soixante !

— Moi, je vais m'habiller en punk pour faire suer ma mère.

— Elle sera même pas là ! ajouta la plus grande en pouffant de rire et en tirant une bière du frigo.

— C'est pas grave. Elle va être dans ma tête. Elle est toujours dans ma tête…

Son amie rit à nouveau, toujours vacillante. Leurs yeux flottaient dans le vague.

Mirabelle préféra se retirer dans la chambre d'Emanuelle, la mère de Mégane. Elle savait qu'elle y serait tranquille, mais surtout qu'il y aurait là les deux chats Ti-Pet et Ti-Prout. Ces noms la faisaient rire, surtout qu'ils leur allaient très bien. Ils étaient tous les deux taquins, malgré leur grand âge, respectivement de neuf et de douze ans. Elle ouvrit la porte — la chambre était propre et calme —, puis la referma derrière elle pour se retrouver seule avec les deux félins qu'elle caressa pendant une bonne demi-heure, assise sur le lit. Ce qu'elle était bien avec des animaux !

En entendant les boum-boum transpercer les murs, elle se demanda encore une fois ce qu'elle était venue faire ici. Tant qu'à caresser des chats, elle aurait très bien pu s'occuper de son cochon d'Inde toute seule. Soudain, la porte s'ouvrit. Emanuelle sursauta en voyant que sa chambre était déjà occupée.

— Mimi! Qu'est-ce que tu fais ici?

— Hé, salut, ma tante! dit Mirabelle.

La jeune fille lui adressa un large sourire qui traduisait bien le bonheur qu'elle avait de la voir. Elle se leva pour l'embrasser.

— Je me suis tellement ennuyée de toi! dit Mirabelle.

— Pourquoi tu ne viens pas me voir plus souvent, ma puce?

Emanuelle resta surprise au contact du corps maigre de sa nièce. Mégane lui en avait pourtant parlé, mais elle ne s'attendait pas à une aussi grande différence. Elle desserra son étreinte, comme si elle craignait de briser Mirabelle en deux. Elle lui prit le visage entre les mains.

— Moi aussi, je m'ennuie et il me semble qu'on pourrait papoter pas mal ensemble!

Mirabelle se sentit soudain très triste. Comme elle aurait adoré que sa mère soit ainsi avec elle, chaleureuse, douce, présente! Mais c'était un rêve. Elle devait s'en faire une raison.

— Comment tu vas? lui demanda sa tante sans pouvoir cacher sa pitié.

— Ça va, répondit la jeune fille par automatisme.

Mirabelle n'aimait pas le regard désolé qu'Emanuelle lui adressa, et pourtant, c'était cela qu'elle décrochait de plus en plus : la pitié...

Comme si sa tante venait de s'en rendre compte, elle se ressaisit et illumina son visage en lui caressant les cheveux.

— J'aime ça, tes cheveux comme ça !

— C'est vrai ? lui demanda Mirabelle, remplie de doute.

— Oui, oui ! Je trouve que ça te donne un petit look sûre de toi. Je trouve ça cool.

Mirabelle esquissa un sourire. Elle savait bien que sa tante essayait toujours d'être gentille, mais elle était également persuadée qu'elle ne mentait pas. Si elle lui disait qu'elle aimait ses cheveux, c'est qu'elle le pensait vraiment. Sinon, elle n'en aurait pas parlé.

— Merci. C'était pas mal un coup de tête...

— Ça fait du bien, le changement. T'étais haute comme trois pommes et t'avais déjà les cheveux longs. Il fallait que ça change.

— Oui, mais maman aimait ça...

Cette réplique s'accompagnait d'une amertume palpable. Emanuelle soupira. Elle connaissait très bien sa sœur et se doutait de ce que Mirabelle pouvait vivre auprès d'elle. Elle en avait fait les frais toute son enfance. Françoise était compétitive et elle, pas du tout. Françoise jugeait au premier regard et demeurait ensuite inflexible. Emanuelle était tout le contraire, se pliant aux humeurs des uns et aux personnalités des autres, acceptant la nature sous toutes ses formes. Au bout du compte, c'était sûrement la plus heureuse. Mais pouvait-elle vraiment en être sûre? Ce qu'Emanuelle savait, c'est que sa nièce souffrait terriblement et qu'elle aurait bien aimé l'aider.

Elles s'assirent toutes les deux sur le lit.

— Alors, comment ça va, l'école?

— Comme d'habitude.

— Toujours aussi bonne?

— Toujours aussi parfaite! Exactement ce qu'on attend de moi.

Emanuelle fronça les sourcils et se mit à flatter les chats. Cela ne faisait aucun doute, Mirabelle était troublée.

— Mégane m'a dit que tu ne voulais pas aller au bal des finissants? dit-elle.

Mirabelle soupira. Elle n'attendait que le matin du 21 juin pour ne plus jamais entendre parler de ce maudit bal! C'est comme si tout le monde allait à un grand mariage et qu'il fallait que l'univers entier soit heureux ce jour-là. Elle détestait cette idée et était convaincue que peu importe où elle serait le 20 juin, elle serait morose. C'était joué d'avance.

— Non, j'y vais pas, dit-elle simplement, espérant qu'Emanuelle en resterait là.

Mais sa tante ne l'entendait pas ainsi.

— C'est dommage, ça n'arrive qu'une fois dans la vie.

— Je le sais, mon père m'a déjà fait le discours, comme si je le savais pas avant.

— Et pourquoi tu n'y vas pas?

— Ça me tente pas.

— Parce que tu n'as pas de petit ami ?

Mirabelle se sentait de plus en plus mal à l'aise. Elle se leva pour partir.

— J'ai pas trop envie d'en parler, si ça te dérange pas… Et je crois que je vais y aller.

— Ben non, reste ! tenta Emanuelle avec maladresse.

— Je suis super-contente de te voir, mais je me sens pas très bien quand il y a beaucoup de monde autour de moi, je sais pas trop quoi faire.

— Bien, reste avec moi ! proposa Emanuelle, enjouée. Je vais faire des frites maison pour tout le monde. Je vais avoir besoin d'aide.

— Des frites ! s'exclama Mirabelle. Mais il y a environ quarante personnes ici !

— Justement. C'est pour ça qu'il faut que tu restes. Tu vas m'aider ! dit Emanuelle en se levant.

Il n'y avait que sa tante pour avoir des idées pareilles. Des frites ! Pour quarante personnes ! Si elle y tenait tant à ses frites, elle aurait très bien pu aller les acheter toutes prêtes à la pataterie du coin !

— Allez, viens ! insista Emanuelle.

Elle tira sa nièce hors de la chambre, referma la porte pour éviter que les chats sortent, et elles allèrent toutes les deux bras dessus bras dessous jusqu'à la cuisine. Sur la table était affalé un gars que Mirabelle ne connaissait pas, mais qui avait l'air d'être dans un sale état. Emanuelle sourit.

— J'en connais un qui va avoir la migraine demain!

Mirabelle suivit sa tante jusqu'à l'armoire. Emanuelle en sortit un immense sac de pommes de terre.

— Aide-moi, on va le soulever jusque sur le comptoir.

Sa nièce s'exécuta.

— Et t'acceptes ça? demanda-t-elle.

— Quoi donc?

— Que des jeunes soient ivres morts dans ta maison?

— Ben moi, je me dis que plutôt que de se cacher dans une ruelle dangereuse pour prendre un coup, parce que de toute façon ils vont boire, vaut mieux que ce soit chez nous. Au moins, je les ai tous à l'œil et je peux pallier les imprévus et prévenir les petits accidents.

— Comme nettoyer du vomi, par exemple, lança Mirabelle, sarcastique.

— Ça, je n'adore pas, dit sa tante en faisant la moue. Je laisse ça à ma fille.

Mirabelle grimaça à son tour. Sa tante sortit deux économes et lui en tendit un pour qu'elles amorcent leur tâche.

Mirabelle aimait bien l'idée de cuisiner pendant que les autres faisaient la fête. Cette activité la rééquilibrait. Préparer de la nourriture l'aidait à se sentir mieux dans sa peau. Elle était en pays de connaissance, comme avec un vieil amour qu'on adore et qu'on déteste parce qu'il prend trop de place en nous. Mais quand il est totalement absent, il nous manque terriblement. En somme, c'était la raison pour laquelle Mirabelle continuait à préparer à manger avec plaisir, mais se contentait de grignoter. C'était l'équilibre qu'elle avait trouvé. Ce soir, cependant, il y avait un grand enjeu, car elle adorait les frites. C'était son péché mignon. Saurait-elle leur résister ?

Elle commença à éplucher les patates en écoutant sa tante parler de sa vie, de son travail d'ingénieure, de son célibat qu'elle vivait bien. Elle ne lui posait plus de questions et Mirabelle appréciait. Elle n'avait rien à dire, de toute façon.

Soudain, l'adolescente sentit un regard posé sur elle. Elle releva la tête et aperçut Antoine, accoté à la poutre qui séparait la salle à manger de la cuisine. Il avait les bras croisés et toujours ce tendre sourire aux lèvres.

Emanuelle leva la tête vers lui, puis vers sa nièce. De toute évidence, il se passait quelque chose entre eux.

— Qu'est-ce qu'il y a ? demanda Mirabelle, mal à l'aise.

— Tu me manquais, dit Antoine.

Il aurait pu lui dire, sur un ton de reproche : « Je te cherchais partout. Où t'étais ? Qu'est-ce que tu fais ? Pourquoi t'es pas avec moi ? », mais il n'avait dit qu'une chose, « Tu me manquais »… Mirabelle le trouvait irrésistible et elle sentait ses jambes se ramollir devant lui. Ses battements de cœur s'accélérèrent, son ventre se contracta.

Emanuelle se tourna vers le chaudron d'huile et y plongea la première portion de frites. Mirabelle continua de couper les pommes de terre, mais elle n'était plus tout à fait concentrée. Antoine l'approcha.

— Est-ce que je peux vous aider?

— Allez plutôt rejoindre les autres, leur dit Emanuelle.

Elle les prit tous les deux par le bras en leur indiquant la sortie de la cuisine.

— Ça va très bien aller pour moi.

Mirabelle n'eut que le temps d'attraper un linge sur le comptoir pour s'essuyer les mains.

— T'es certaine? Ça va t'en faire beaucoup...

— J'ai toute la soirée, ma puce. Allez hop! Ouste!

Antoine et Mirabelle se lancèrent un regard entendu, mais cette dernière n'avait aucune envie de retourner avec les autres au salon. Comme si Antoine avait lu dans ses pensées, il dévia vers la porte de la véranda et ils sortirent. Quelques personnes fumaient dehors, mais tout au fond de la cour près d'un bassin, une balancelle les invitait. Mirabelle serra les bras: la fraîcheur du soir la transperçait. Antoine la prit par les épaules. Elle frissonna.

— Tu bois rien? lui demanda-t-elle.

— Pas besoin... L'haleine de ma mère me soûle pour des mois chaque fois que je la vois.

Mirabelle était stupéfaite.

— Ma mère est alcoolo, ajouta-t-il avec un sang-froid qui désarçonna sa copine.

Elle demeura sans voix. Ils marchèrent vers la balancelle et s'y assirent en silence. La tête sur le coussin, Antoine regarda les étoiles.

— Quand j'étais jeune, je voulais être astronome.

— Comme tous les petits gars, se moqua gentiment Mirabelle.

— Ils veulent tous être astronautes… Moi, c'était pas pareil.

— Pourquoi ?

— Parce que moi, c'est toujours plus et toujours mieux, dit Antoine, amusé. J'étais tellement passionné que je connaissais le nom de plein d'étoiles et de constellations…

— Ah oui ? Et elle, alors, dit Mirabelle en pointant une des étoiles les plus brillantes, comment elle s'appelle ?

Antoine fit mine de réfléchir quelques secondes, jouant les spécialistes, puis laissa tomber :

— Je le sais pas, moi ! J'ai oublié. J'avais cinq ans quand je les ai apprises.

— Menteur !

Antoine lui donna une pichenette sur l'épaule.

— Pas du tout ! Je les connaissais toutes !

— Il me semble…

Antoine et Mirabelle rirent et commencèrent à se chamailler, puis leurs regards se croisèrent à nouveau. Du coup, leurs gestes se calmèrent, leurs sourires disparurent. Une fois de plus, Mirabelle se sentit vulnérable, comme si elle pouvait laisser tomber toutes ses barrières et se donner totalement.

Antoine s'approcha d'elle, passa son bras derrière ses épaules et l'embrassa. Longuement, passionnément. Mirabelle trouva ses lèvres douces et tendres et eut envie de se laisser aller, de goûter à ce bonheur, peu importe qui les regardait, ce que les autres pouvaient bien penser, peu importe la peur de se faire blesser encore une fois. Elle voulait s'abandonner au moment présent. Elle apprécia la douceur du garçon, l'odeur de son souffle. Puis, leur fougue les emporta jusqu'à ce qu'Antoine laisse ses mains s'aventurer sur son corps : d'abord dans ses cheveux, puis sur ses hanches et son ventre. Elle ne put s'empêcher d'imaginer ce qu'il devait penser en découvrant son corps. Sentait-il sa graisse ? Ses os ? Elle était si imparfaite. Et pourtant, d'après ses gestes passionnés et sa respiration haletante, il ne semblait pas embêté du tout. Les mains d'Antoine s'aventurèrent doucement près de sa poitrine presque inexistante, mais Mirabelle le repoussa et se refroidit.

— S'il te plaît, non !

Surpris, Antoine retira rapidement ses mains.

— Excuse-moi…

Mirabelle le laissa en plan et rentra dans la maison. Antoine la suivit de loin en soupirant… Tout ce qu'il espérait, c'était de ne pas avoir poussé l'audace jusqu'au point de non-retour. Son cheval sauvage était si farouche.

★ Il était rare que Mirabelle n'arrive pas à se concentrer sur ce que le professeur de biologie, M. Lavallée, disait. Aujourd'hui, c'était pourtant le cas. Son esprit vaquait décidément ailleurs, quelque part rue Beaubien. Depuis leur dernier rendez-vous, elle n'avait répondu à aucun des messages qu'Antoine lui avait laissés. Il allait bien finir par comprendre. Mais elle ne pouvait empêcher son cœur de battre très fort quand elle pensait à lui, quand elle tentait d'imaginer son sourire, son visage, son image. Depuis la dernière fois qu'ils s'étaient vus, elle avait à peine mangé. C'était maintenant un tour de force de cacher son abstinence à ses parents, mais comme elle entrait en session d'examens, ses absences répétées aux heures des repas étaient presque normales.

La voix stridente de M. Lavallée la sortit de ses songes. Elle sursauta tant et si bien qu'elle laissa échapper un léger cri. Yulia, sa voisine arrivée d'Israël en janvier, se retourna vers elle en rigolant. Elle était nouvelle dans la classe puisque, à son arrivée, on l'avait mise en classe d'accueil. Ce n'était que récemment qu'elle avait été admise dans les cours réguliers grâce à ses bons résultats scolaires. Elle lui semblait plutôt sympathique. Mirabelle lui sourit.

La cloche sonna.

Cette fois, ce fut Yulia qui sursauta. Mirabelle rigola à son tour, se leva brusquement et ressentit un léger vertige. Elle fronça les sourcils, hésita, puis se dirigea au gymnase, habituellement libre pendant l'heure du dîner. Elle avait en tête de commencer son entraînement, mais au lieu du calme qu'elle s'attendait à y trouver, c'était la cohue. Tous ceux qui ne pouvaient aller le soir même au défilé de mode assistaient à la générale. Mirabelle, migraineuse, soupira d'exaspération. Ses os lui faisaient mal. Elle espérait bien qu'un peu d'exercice la dégourdirait et, dehors, il faisait une chaleur torride. Un violent orage menaçait d'éclater. Elle décida de défier les intempéries et, malgré les avertissements de la directrice, de partir. Elle gonfla son sac à dos à bloc, histoire d'augmenter la difficulté, puis courut jusqu'à chez elle d'un trait, sans écouter son corps qui, vidé de son énergie, criait à l'aide. Elle ne fit pas non plus attention à son cœur, qui battait si fort qu'il allait éclater, ni à ses poumons, qui sifflaient tant ils lui faisaient mal. Dans la douleur, elle ne pensait plus à rien et c'était encore ce qui était le mieux pour elle.

Après une vingtaine de minutes de course intense, elle entra chez elle et fut saisie par la fraîcheur de l'air climatisé : sa mère avait dû pousser l'appareil à fond. Elle se servit un grand verre d'eau et s'écrasa sur le divan. Elle alluma la télévision sur le canal cuisine où des chefs s'évertuaient à rendre leurs recettes les plus alléchantes possible : des tourtières au canard, des charlottes russes, des soufflés au fromage, du porc à la tomate…

Émile arriva quelques minutes plus tard et salua sa sœur. Elle était d'un rouge écarlate et

lui semblait encore plus maigre que d'habitude.
Peut-être cette impression de faiblesse était-
elle amplifiée par l'apparence exorbitée de ses
yeux?

— Ça va? lui demanda-t-il, inquiet.

Mais Mirabelle n'eut pas le temps de répondre;
elle tourna de l'œil. Sa tête tomba sur le dossier du
divan alors qu'elle perdait connaissance. Pris de
panique, Émile appela le 911, puis son père.

RÉVEIL BRUTAL

★ Cette fois-ci, Mirabelle ne pouvait plus y échapper.
Quand elle ouvrit les yeux, elle était couchée dans
un lit d'hôpital et une infirmière s'affairait à véri-
fier la poche de sérum accrochée à son bras. Elle eut
un mouvement de panique et voulut se lever, mais
une main serra la sienne. Elle tourna la tête avec
difficulté pour voir de qui il s'agissait et reconnut sa
mère. Mirabelle fit la moue et, ne pouvant se retenir,
éclata en sanglots. Françoise s'approcha d'elle et la
prit par les épaules.

— Mirabelle, veux-tu bien me dire ce qui s'est
passé?

Mirabelle… Il y avait tellement de temps qu'elle
ne l'avait pas appelée par son vrai prénom. Elle avait
toujours droit à son diminutif, comme si sa mère la
considérait comme la moitié d'elle-même. Pourtant,

Mirabelle aimait son prénom. Elle sanglota un bon moment, honteuse d'être si vulnérable devant sa mère.

— Tu nous as fait peur. Maintenant, il va falloir que tu te reprennes en main.

Un médecin, que Mirabelle n'avait pas encore vu, était posté non loin d'elles au bout du lit.

— Bonjour, Mirabelle. Je suis le docteur Fortier. Ta mère a raison. Pour remonter à ton poids santé, tu dois reprendre une bonne dizaine de kilos.

Dix kilos ! À ce moment précis, elle ressentit une vague de fierté à l'idée de tout le poids qu'elle avait réussi à perdre, puis de culpabilité en pensant qu'elle avait abouti à l'hôpital à force de se priver de nourriture. Mais elle avait appris à calculer avec tant de minutie chaque mini-calorie qui entrait dans son corps que l'idée d'en faire à nouveau entrer en elle lui était pour l'instant inconcevable. Pour elle, les privations étaient devenues une seconde nature. Comme s'il avait lu dans ses pensées, le Dr Fortier ajouta :

— Tu verras, on va y aller progressivement et ça devrait bien se passer, mais tu vas devoir accepter de rencontrer quelqu'un qui t'aidera.

Mirabelle comprit qu'il s'agissait d'un psychologue, voire d'un psychiatre. Il ne pouvait en être autrement.

Le docteur prit congé au moment où Émile et Mégane entraient.

— Mais qu'est-ce que tu nous fais, cabotine ? dit Mégane en lui présentant un gigantesque bouquet de fleurs des champs.

— Merci, c'est gentil.

— Oh, c'est pas de moi! C'est tout le cinquième secondaire qui s'est cotisé pour te l'offrir.

— Quoi? dit Mirabelle, estomaquée. Les secondaires cinq! Mais j'ai presque plus d'amis en secondaire cinq!

— Ce serait pas, par hasard, parce que tu les as tous laissés tomber? demanda Mégane en souriant.

Mirabelle ne put s'empêcher d'être émue en pensant que tout ce monde s'était cotisé pour lui offrir ce présent. Émile voulut rapidement couper court à ces émotions.

— Moi, c'est moins romantique, mais je t'ai apporté mon DS avec une cassette de Jackie Chan.

Mirabelle essuya ses larmes en riant. Elle adorait Jackie Chan sous toutes ses formes. Elle accepta le cadeau avec plaisir.

— Merci, ça va me tenir occupée.

— Oh, mais on n'a pas l'intention que tu restes ici longtemps, dit Émile en se tournant vers Mégane.

— C'est le comité du bal qui a organisé la collecte de sous pour les fleurs. Ils veulent que tu sortes au plus vite pour venir à la soirée.

Mirabelle connut une nouvelle vague d'émotions qui lui restèrent cette fois-ci coincées dans la gorge. L'anxiété l'emporta. Elle ne voulait pas aller au bal. Elle ne se sentait pas à la hauteur. Pourquoi ne la laissait-on pas tranquille avec ça?

— Arrête de t'en faire, ajouta Mégane, percevant sa détresse. On verra ça le moment venu. Pour l'instant, il faut que tu te remettes en forme.

Mirabelle embrassa sa cousine qui la serra fort contre elle.

JE T'AIME, MA FILLE

★ Mirabelle jouait au DS sur son fauteuil quand son père entra. Il eut un serrement de cœur lorsqu'il vit ses bras et ses jambes si maigres dépasser de sa chemise d'hôpital. Sa fille avait tellement tout fait pour qu'on ne la voie pas dénudée qu'il lui avait été impossible de constater à quel rythme elle avait perdu du poids.

— Bonjour, princesse.

Mirabelle leva la tête et lui rendit ses salutations. En trois jours, c'était la première fois qu'il venait la voir. Il en avait été incapable avant, il était trop émotif pour cela. Il avait les hôpitaux en horreur et le fait de savoir que sa propre fille avait voulu mourir à petit feu l'avait paralysé. Il sortit ses mains de derrière son dos et dévoila un cadeau qu'il lui tendit.

— C'est pas grand-chose, mais c'est de bon cœur.

— C'était pas nécessaire, dit Mirabelle.

Elle déballa son présent et ne put cacher sa déception en voyant que son père lui avait fait une maquette de voiture, mais Pierre-Marc n'était pas dupe.

— Je le sais que tu me trouves quétaine et pas à la mode, dit-il en cherchant ses mots, presque en bégayant, mais… je tiens à toi comme à la prunelle de mes yeux.

— Je le sais… répondit Mirabelle.

— Non, attends. Laisse-moi finir, ne m'interromps pas.

Pierre-Marc ne pouvait regarder sa fille dans les yeux. Il se gratta la tête.

— Cette voiture que tu tiens dans tes mains, c'est la voiture que je vais t'offrir en vrai à la fin de ton secondaire.

Mirabelle, ébahie, regarda son père en attendant la suite.

— J'ai pas un travail très impressionnant, je le sais, mais je travaille très fort tous les jours pour que vous ne manquiez de rien.

Pierre-Marc avait du mal à contrôler sa voix, ponctuée de trémolos.

— Papa…

— J'ai économisé gros pour t'offrir ce que je pensais être le plus beau cadeau pour souligner cinq belles années d'études. Je me disais que ça te donnerait ta liberté, en quelque sorte.

Mirabelle faisait un gros effort pour contenir ses émotions. Dans sa tête défilaient toutes les fois où elle avait été si ingrate envers son père, qu'elle trouvait un peu bête. Elle regarda la voiture, qui était une véritable pièce de collection. Une superbe voiture rouge, un peu sport, avec des roues scintillantes et un toit ouvrant. Elle aurait la même, en vrai, une voiture qu'elle pourrait conduire !

Il hésita, se passa la main dans le peu de cheveux qui lui restait, et ravala sa salive en poursuivant courageusement.

— Mais je me rends compte que le plus beau cadeau du monde remplacera jamais ce qui t'a manqué…

Sa lèvre inférieure se mit à trembler, ses yeux se remplirent de larmes. Jamais Mirabelle n'avait vu son père pleurer de sa vie. Un homme comme lui ne pleurait pas. Sa famille était des plus traditionnelles, et cela ne se faisait pas.

— Oh, papa…

Mirabelle se leva et le serra fort dans ses bras. Des larmes coulèrent sur ses joues. Elle ne pouvait s'empêcher de se sentir coupable à l'idée qu'elle avait été si égoïste pendant toutes ces années. Il l'aimait tellement !

— C'était pas nécessaire…

— Je suis pas très habile à exprimer mes sentiments. C'est un peu ma façon à moi de te dire que je tiens à toi.

Ils demeurèrent ainsi pendant quelques minutes. Puis Pierre-Marc repoussa légèrement sa fille et la regarda dans les yeux.

— Il y a rien qui vaut le plaisir de voir ma fille en bonne santé, en forme, heureuse. J'aurais pu te parler plus… Ça t'aurait peut-être aidée ?

— Arrête, papa. J'aurais peut-être pas voulu, de toute façon… Tu sais comment c'est, des fois. On est un peu con.

Pierre-Marc prit la main de sa fille.

— Je... Je t'aime tant, ma princesse et, maintenant, tout ce que je veux, c'est te voir guérir au plus vite. Remonter la pente pour revenir à la maison.

Mirabelle se rassit dans son fauteuil. Elle comprenait à l'instant tout le temps qu'elle avait perdu à le mépriser, à le critiquer alors que, au fond, ce n'était pas à lui qu'elle en voulait. Un frisson parcourut son corps.

— Moi aussi, je t'aime, papa.

Il la regarda timidement et lui fit un sourire.

REPAS ET CONFIDENCES

★ Mirabelle sentait l'odeur du repas de midi dans les couloirs de l'hôpital et elle savait qu'un autre calvaire allait débuter. Depuis qu'elle était arrivée ici, il y avait une semaine, elle n'avait pu avaler que quelques brocolis, un potage aux carottes et encore, après s'être assurée qu'il ne contenait pas de crème. Aujourd'hui, elle devait s'attaquer à de la viande, très maigre, bien sûr. C'était le défi qu'elle s'était donné.

Mais alors qu'elle croyait que la préposée arriverait dans sa chambre avec un plateau, c'est Antoine qui lui apporta sa nourriture. Mirabelle eut le réflexe de remonter sa couverture sur elle. Elle se trouvait loin d'être séduisante en chemise bleue.

— Tu peux te cacher très longtemps, dit Antoine en s'assoyant sur son lit. Je suis patient.

— Je suis pas présentable, dit-elle, la voix étouffée par le drap qui la recouvrait.

— Arrête donc… Je me doute bien que t'es pas en robe de bal!… T'as peut-être un petit creux.

Ils n'avaient jamais discuté de sa maladie. Toutefois, Antoine n'était pas dupe. Elle en avait très honte, mais elle était aujourd'hui persuadée qu'elle devait s'en sortir. Elle ne savait pas encore si elle en aurait la volonté, mais elle devait être forte.

Elle rabaissa son drap, regarda son plateau, puis grimaça en voyant du poulet dans une sauce blanche, des brocolis et des pâtes au pesto.

— Merci de lever le nez sur mon cadeau! dit Antoine, blagueur.

— Comment t'as su que j'étais ici? demanda Mirabelle en ajustant la tablette sur pied placée au bout de son lit.

— J'ai appelé chez toi, tout simplement. C'est ton père qui me l'a dit.

— Et c'est toi qui as appris la bonne nouvelle aux gens de l'école?

— Non, ça me regarde pas… Je pense que ça s'est su peut-être par un prof, ta cousine ou ton frère. Mais moi, je le savais déjà.

Mirabelle commença à chipoter dans son assiette en calculant à la vitesse de l'éclair toutes les calories présentes devant elle. La Dre Michaud entra peu après Antoine. Ils se saluèrent.

— Bonjour, ma belle Mirabelle. Comment ça va aujourd'hui?

— J'ai pas tellement faim.

— C'est pas grave, il faut que tu manges un peu quand même.

Mirabelle coupa un morceau de poulet avec peine, piqua la fourchette dedans et la monta à sa bouche, mais elle la reposa.

— Est-ce que je peux manger plus tard?

La Dre Michaud vérifia la fiche au pied de son lit.

— J'aimerais au moins que tu manges un peu de brocolis… et une bouchée de poulet. Est-ce qu'on s'entend pour ça?

Antoine eut un pincement au cœur et voulut la laisser dans son intimité. C'était probablement déjà assez difficile pour elle de manger. Elle ne devait pas avoir envie de le faire en public.

— Je vais revenir, j'ai un appel à faire, dit-il en prenant son cellulaire. Et comme dans les hôpitaux, on peut pas se servir de ça…

Mirabelle, trop préoccupée par la tâche qui l'attendait, ne lui répondit pas. Elle soupira, planta sa fourchette dans un brocoli et mit toute l'énergie qu'elle pouvait pour l'amener à sa bouche.

— C'est bien, ma belle, dit la Dre Michaud en s'asseyant sur le lit. C'est quand même mieux que de te faire nourrir de force, non?

Mirabelle mâcha avec difficulté. Elle eut quelques haut-le-cœur, mais persévéra.

— On m'a dit que t'étais pas mal championne en athlétisme?

— Si on veut, répondit Mirabelle tout en mâchouillant.

— Ça peut juste être bon pour nous, ça. Ça veut dire que tu sais relever les défis. Et il y en a un gros qui t'attend !

L'adolescente soupira en piquant fébrilement sa fourchette dans un minuscule morceau de poulet. La Dre Michaud en profita pour lui parler de son emploi du temps à l'hôpital dans les prochains jours, de ses rencontres avec la psychologue et de son programme alimentaire, de sorte que lorsque Antoine revint, Mirabelle avait terminé son brocoli et sa bouchée de poulet. Elle avait réussi !

La Dre Michaud les laissa seuls.

— Salut, championne. Comment ça va ?

— Un peu mal au cœur, lui dit-elle, mais ça va. Et toi ?

— Moi, j'ai quelque chose pour toi…

Il sortit de son sac à dos un grand linge à vaisselle dans lequel il avait emballé une figurine. Mirabelle allait prendre la sculpture quand Antoine intervint en retirant doucement sa main.

— Tut, tut, tut… Ferme les yeux.

Mirabelle l'observa quelques instants et s'exécuta. Il lui prit les deux mains et y déposa la figurine.

— Cette fois-ci, je te demande de regarder ce que j'ai fait, mais avec les doigts, comme si t'étais aveugle.

La jeune fille trouva l'idée intéressante. Les yeux toujours clos, elle se mit à découvrir la sculpture un peu plus grande que la paume de sa longue main. Cette œuvre était étrange. Filiforme, elle lui semblait justement disproportionnée, belle, gracieuse, mais avec des bras trop longs, des jambes trop maigres, un ventre creux, un visage presque rachitique, elle se demandait bien ce que ça pouvait représenter. Quand elle en eut fait le tour, Antoine l'autorisa à ouvrir les yeux. Dès qu'elle vit la figurine, Mirabelle sut que c'était elle. Pas elle il y a deux mois alors qu'elle courait dans le parc, mais une « elle » qu'elle ne reconnaissait pas. Elle était troublée. Elle leva la tête vers Antoine.

— C'est pas moi ?

— Oui, telle que tu es maintenant.

Le miroir lui renvoyait toujours une image d'elle énorme, laide, disgracieuse, mais ses mains avaient vu un tout autre portrait d'elle-même : son vrai corps. Était-il possible qu'elle soit aussi maigre ? Que lui était-il arrivé ? Elle était en état de choc.

Elle releva la tête vers Antoine, les yeux dans l'eau.

— Je suis pas mal poquée, hein ?

— On l'est tous pas mal un peu.

— Certainement pas toi ! fit-elle, convaincue.

— Parce que tu penses que je l'ai eu facile ? dit-il.

Il jeta un œil vers la fenêtre et regarda la pluie tomber. Son visage s'assombrit.

— C'était le 25 mai, il y a deux ans. Je me souviens, il pleuvait à verse dehors, comme aujourd'hui. L'orage était si intense que l'entraîneur de soccer avait été obligé d'arrêter la partie. Je rentrais chez moi avec plein de projets en tête. Je venais de recevoir un prix en arts qui me permettait de présenter une série de sculptures sur l'être humain...

Il marqua son monologue d'une pause, puis poursuivit, une émotion perceptible dans la voix.

— Mais ce jour-là, c'est en plein sur la gueule que je l'ai eue, la condition humaine... Je suis entré dans mon sous-sol. Ma mère était étendue sur le plancher, ivre morte. À côté d'elle, mon père avait laissé une note nous expliquant qu'il était parti, que c'était devenu trop lourd pour lui, et qu'il ne reviendrait plus.

— Merde, dit Mirabelle en grimaçant... T'as dû lui en vouloir, non?

— Au début, oui. Je lui en voulais surtout d'être parti sans nous en parler avant, à mon frère et à moi, mais je crois que c'était trop dur pour lui. Il nous aimait beaucoup et j'imagine que s'il nous avait vus pleurer, il n'aurait pas eu le courage de partir... Et puis après, à force de voir ma mère toujours soûle, j'ai compris que ça devait être invivable pour lui et je lui ai pardonné.

— Est-ce que tu le revois, des fois?

— Oui, mais pas souvent, parce qu'il s'est lancé dans le travail comme un fou. Par contre, il est très présent quand on se voit. C'est un homme sage, mon père. Mais tout ça a été très dur pour moi et encore plus pour mon frère. Tu vois, Orléans, lui, il lui en veut encore. À ma mère aussi, d'ailleurs... C'est pour ça qu'il est parti en appart si vite.

Antoine releva la tête vers Mirabelle.

— Voilà, tu sais tout.

Il venait de s'ouvrir à elle, sans crainte. Mirabelle se sentait bien, en pleine confiance, assez pour avoir envie de s'abandonner à lui. Elle s'approcha de lui et l'embrassa doucement. Il détacha ses lèvres des siennes et fixa son regard dans ses grands yeux bruns.

— Je suis en train de tomber amoureux de toi, Mirabelle… Je veux pas te perdre, toi aussi… La vie est tellement précieuse.

Elle se détourna de lui et lui demanda, d'une voix fragile :

— Mais qu'est-ce que tu peux bien me trouver ? Je suis moche, maigre, pleine de bêtes noires dans ma tête. Toi, t'es tout le contraire.

— C'est parce que moi j'ai le don de voir à travers les gens. Je suis pas sculpteur pour rien ! Et ce que je vois en toi, tu le sens probablement pas encore, mais je suis sûr que ça va venir…

— On verra…

Il lui prit la main.

— C'est ça, tu vas comprendre un jour que j'ai toujours raison… dit-il, blagueur. Chose certaine, si tu veux m'accompagner au bal, il va falloir que tu reprennes des forces et que tu te remettes un peu de peau sur les os.

Mirabelle se refroidit et retira sa main. Antoine sentit qu'il venait de commettre une maladresse. Même si cette remarque ne se voulait pas malveillante, elle avait blessé Mirabelle, qui se referma d'un seul coup.

— Excuse-moi, je voulais pas…

L'infirmière entra.

— Je vais devoir examiner ma patiente.

— Pas de problème, dit Antoine en se levant. Il faut que je parte, de toute façon.

Il se pencha vers Mirabelle pour l'embrasser, mais les lèvres qu'il rencontra ne s'abandonnèrent pas comme plus tôt. Elle était loin d'être guérie et il devrait marcher sur des œufs.

— J'espère seulement que ça prendra pas encore deux semaines avant qu'on se reparle?

— Tu sais où me trouver, dit Mirabelle en se reculant dans son lit. Moi, je bouge pas.

CONFRONTATION

★ Émile venait de monter le son de ses écouteurs au maximum pour ne rien entendre. Dans la chambre de ses parents, une tempête venait d'éclater et, cette fois-ci, ce n'était pas sa mère qui l'avait provoquée.

Françoise était assise sur le bout du lit et encaissait les attaques de son mari sans dire un mot. C'était la première fois en dix-sept années de mariage.

— Elle va avoir besoin de toi pour s'en sortir, Françoise! Tu penses qu'on le voit pas, ton mépris, quand tu la regardes? Il faut que ça cesse. Elle est malade, très malade, et c'est d'une mère chaleureuse qu'elle a besoin, pas d'un congélateur!

Françoise était ébranlée par tout ce que lui disait son mari. Elle en prenait plein la poire et elle n'en avait pas du tout l'habitude. Lui parlait devant elle en gesticulant, visiblement en colère, évitant de la regarder par crainte de perdre ses moyens.

— Si tu fais pas d'effort pour l'aider, pour te montrer douce et chaleureuse avec elle, c'est fini entre nous deux, Françoise, comprends-tu ? Je pars avec les enfants, comme ça t'auras tout ton temps pour penser à toi. Tu vas pouvoir travailler, faire ton yoga, voir tes amants comme tu veux.

— Arrête, tu dis n'importe quoi.

— Toi, arrête ! Arrête de me prendre pour un imbécile ! Toute la planète le sait que tu me trompes, mais tu pensais peut-être que la bonne pâte allait rien découvrir ?

Françoise se mit à sangloter, mais Pierre-Marc ne se laissa pas attendrir. Il voyait rouge.

— T'as jamais témoigné un soupçon d'affection pour personne dans cette maison... Excuse-moi, c'est vrai, Émile y a eu droit. Mais nous autres, des cotons ! Des vrais cotons ! Je le sais que je suis le bon gars qui ne dit jamais rien, mais ça aussi, c'est fini, Françoise, f-i fi, n-i ni !

En réalité, Françoise avait toujours été jalouse de la relation qui unissait son mari à sa fille et n'avait jamais su comment s'ouvrir, comment exprimer et manifester son amour. Pourtant, elle les aimait. Mal, mais elle les aimait.

— Si tu veux, on va aller en thérapie, toute la famille. On va tous y passer et on va se dire les vraies affaires. Le silence qui tue, j'en veux plus.

— J'y crois pas à la thérapie, Pierre-Marc. Je crois pas aux psychologues, je crois à rien de tout ça, osa-t-elle dire entre deux sanglots.

— Bien moi, ce que je crois pas, c'est que tu peux changer comme ça, en criant « ciseau ». Ça va te prendre de l'aide, ça nous prend tous de l'aide…

Françoise pleura encore un long moment.

TESTS

★ Mirabelle avait entrepris une thérapie intensive à raison de trois fois par semaine et tranquillement, elle recommençait à manger. C'était un combat de chaque instant et elle sentait qu'il en serait probablement ainsi toute sa vie ; mais malgré tout, elle progressait assez rapidement. Elle avait une motivation : elle sentait qu'Antoine était avec elle. Même s'ils se parlaient peu, il venait lui rendre visite une fois par semaine au moins et lui racontait ce qui se passait à l'école.

Son professeur de français, M. Pigeon, un vieux prof un peu ennuyeux, mais qui aimait tellement son travail qu'il tardait à prendre sa retraite, avait obtenu que l'école lui permette de faire passer les examens à Mirabelle dans sa chambre d'hôpital. Une entorse au règlement pour une fille qui avait besoin d'aide... Il faut dire que la réussite de la dernière étape du cinquième secondaire était requise pour entrer au cégep. On ne pouvait tout de même pas compromettre son avenir à cause d'un problème de santé à trois semaines de la fin d'année, elle qui était si bonne élève!

Pendant chaque examen, M. Pigeon attendait dans le corridor que Mirabelle ait fini, quelle que soit la matière. La jeune fille était estomaquée de voir ce que tout le monde faisait pour elle. Ces gestes lui donnaient peu à peu confiance en elle. Elle valait peut-être quelque chose, après tout?

Elle venait de remettre son examen de biologie au professeur quand Mégane apparut dans le cadre de la porte du minuscule cabinet de toilette où elle se lavait le visage.

— Hé, salut! T'es donc belle! T'as repris des couleurs, du tonus! dit Mégane.

Mirabelle se regarda dans le miroir, à moitié contente de ces compliments. Du tonus... Elle savait qu'elle avait repris du poids, mais elle n'aimait pas se faire dire qu'elle engraissait. Elle ne savait pas trop en réalité si c'était ce qu'elle désirait. Puis au fond, « du tonus », c'était parfait comme compliment. Mégane s'avança vers elle et lui donna un bisou sur chaque joue.

— Puis, quoi de neuf? demanda Mirabelle.

Mégane ôta son manteau de printemps.

— Tadam!

Elle dévoila une magnifique robe argentée qui moulait ses formes. «Des formes parfaites», pensa Mirabelle. Très courte et décolletée, sa robe avait une texture qui rappelait le métal, dont le tissu était découpé en carrés qui tombaient les uns sur les autres. Jamais Mirabelle n'aurait osé revêtir ça, mais elle devait avouer que Mégane la portait merveilleusement bien. Elle l'enviait.

— Mégane, elle est incroyable! Tu vas faire sensation en arrivant sur la piste de danse du bal. Ça va être toi la reine, tu vas voir.

— Avant, il va falloir que je commence à m'entraîner à danser le yéyé. Ma grand-mère m'a montré comment elle faisait avec mon grand-père à l'époque… Je te dis pas la super-forme!

— En tout cas, moi, pas de danger, conclut Mirabelle en s'assoyant sur le lit.

— Tu danseras pas si tu veux pas! dit Mégane en sortant un vêtement de son grand sac en bandoulière, mais pas question que tu viennes pas! Tu peux pas manquer ça.

Elle posa sur le lit une robe noire courte toute simple, sans manches, légèrement évasée dans le bas, avec un col rond blanc. Elle était cousue dans un épais tissu infroissable. Mirabelle se redressa pour mieux regarder la tenue. Elle ne pouvait nier qu'elle lui plaisait. Sa cousine était tombée en plein dans ses goûts. Elle la connaissait tellement bien…

— Je sais pas si je veux y aller, dit-elle en se redressant sur ses oreillers.

— Ah… Fais-moi pas ce coup ! Regarde si elle est belle, insista Mégane, elle est toute ouverte dans le dos.

Mirabelle fit la moue.

— Te pose pas la question ! Occupe-toi simplement d'avoir du plaisir, lança Mégane. Juste du plaisir !

Pour elle, il est vrai, tout paraissait si facile. Mirabelle, à l'inverse, s'en faisait pour tout, tout le temps.

— Je le sais pas si je vais être assez en forme pour m'y rendre.

— Moi, j'en suis convaincue. Tu connais mon dicton ?

— Qui veut peut… souffla Mirabelle dans un soupir.

Sa cousine avait tellement tout pour elle. Il lui semblait que tout allait de soi dans sa vie. En fait, ce n'était qu'une question de perception. Mégane était foncièrement positive et elle réduisait en poussière tous les obstacles qui se dressaient sur son chemin. Mirabelle, elle, avait toujours plus ou moins broyé du noir, mais cette fois, elle sentait qu'elle avait de plus en plus envie de vivre, d'aller au bal, de retrouver Antoine, de participer, elle aussi, à une des étapes les plus marquantes de leur jeunesse.

— Si tu viens pas, tu vas sûrement le regretter toute ta vie et tu vas toujours te demander comment ça aurait été si tu y étais allée. Si tu viens, le pire qui puisse arriver, c'est que ce soit gâché. Au moins, tu sauras, tu seras pas dans le doute.

Sa cousine savait toujours comment s'y prendre pour la convaincre.

— Avoue que ça te tente…

— Plus qu'avant, c'est vrai.

Mégane s'assit à son tour au pied du lit, près de la robe.

— En tout cas, Antoine souhaite de tout cœur que tu viennes.

— Il t'en a parlé ? demanda Mirabelle, avec appréhension.

— Pas juste à moi ! Je l'ai entendu le dire à plusieurs personnes. Il est fou de toi !

— Il a pas dit ça, tu me niaises !

— Franchement, Mirabelle, comment je pourrais te faire ça ?… Il t'aime vraiment. Il arrête pas de dire qu'il espère que tu vas aller mieux. Tous ses amis te considèrent avec respect maintenant et gare à qui parlera en mal de toi devant lui !

— Vraiment ?

Mirabelle ne pouvait se résoudre à y croire, mais elle était tellement envahie de bonheur qu'elle eut envie de foncer dans cet amour. Peut-être au fond que le prince charmant existait en la personne d'Antoine ? Avait-il des défauts ? Sûrement, et elle les découvrirait bien assez tôt, mais pour l'instant, elle savourait sa bonté.

Elle se rendit compte que son cœur battait très fort, ses joues étaient pourpres. C'était plus qu'un béguin, elle craquait totalement pour lui.

— Je crois que t'es en train de me convaincre…

— Je le sais, dit Mégane, toujours avec la même confiance.

Elle tenait la robe dans ses mains.

— Tu sais bien que j'ai toujours été très persuasive.

— Je dirais tenace, corrigea Mirabelle.

— Allez, maintenant tu vas l'essayer.

— Je suis pas prête… grimaça Mirabelle en se calant dans son lit.

— Mimi, le bal est dans moins d'une semaine. C'est aujourd'hui ou jamais. Si je dois faire faire des retouches par ma mère, il me faudra lui en laisser le temps.

Mirabelle hésita, puis s'exécuta, en se tirant péniblement de son lit. Elle alla dans le cabinet de toilette et se changea sans se regarder, délibérément. De toute façon, le petit miroir accroché au-dessus du lavabo renvoyait seulement l'image du haut de son corps.

Elle sortit, gênée, en laissant glisser ses pantoufles sur le carrelage vert pomme et blanc qui devait bien dater des années soixante, les hôpitaux n'ayant guère changé depuis. Mirabelle constata, amusée, qu'ainsi habillée à la mode des sixties, elle ne détonnait pas du tout.

Lorsqu'elle la vit, les yeux de Mégane s'illuminèrent.

— Su-per-be! T'es totalement sublime!

— T'es sûre? hésita Mirabelle en regardant le bas de sa robe.

— Sans tes pantoufles, ça serait quand même mieux, mais sérieusement, j'ai des bottes chez nous qui devraient te faire. On va t'acheter des faux cils, te tracer une ligne noire sur les yeux…

— Pour ça, ça changera pas vraiment !

— C'est vrai, poursuivit Mégane. Tu vas être canon ! Et puis tu t'es remplumée. Si tu voyais le corps que ça te fait !

Mirabelle trouva la remarque désagréable. Elle n'aimait pas qu'on la complimente sur son corps, ni sur tout ce qui touchait de près ou de loin à sa sexualité. À son âge, elle avait exploré bien peu de choses dans ce domaine. Elle espérait qu'Antoine serait patient… Mais il fallait avouer que depuis trois semaines, elle avait pris du mieux, et ses cuisses, ses jambes, aux proportions plus normales, donnaient enfin l'impression de soutenir solidement son corps. Sa tête ne tournait plus, son souffle était moins court. Ses progrès surprenaient les spécialistes. Elle n'était toutefois pas certaine d'en être fière, malgré les encouragements des médecins, des infirmières, des psychologues et de sa famille.

— Sérieusement, tu vas être belle à mourir !

Mirabelle était visiblement contente. Elle s'imagina le regard d'Antoine posé sur elle. Cette fois, elle était décidée : elle ne pouvait manquer ça, elle se rendrait au bal.

★ Depuis que Mirabelle avait pris la décision d'aller au bal, elle ne pouvait s'empêcher de revêtir régulièrement sa robe et d'essayer différentes coiffures pour trouver celle qui lui irait. Elle avait même tenté de se maquiller de façon plus féminine. Plus les jours passaient, plus elle se disait qu'elle avait assez perdu de temps à s'en faire pendant toutes ces années. Elle avait envie d'être heureuse, de savoir ce que c'était que le bonheur.

Elle rangeait sa trousse de maquillage, assise sur son lit, quand elle sentit une présence. Elle se tourna vers la porte de sa chambre et vit une jeune fille d'environ dix-sept ans, les bras croisés. Elle avait un beau visage, mais elle était si maigre ! Mirabelle se retint pour ne pas grimacer à la vue de cette inconnue au teint pâle qui dévoilait un corps sans aucun muscle. C'est à peine si elle semblait capable de se tenir sur ses deux jambes. Elle avait aussi des cernes qui creusaient ses yeux.

— Salut.

— Salut, répondit Mirabelle.

— Je m'appelle Camille.

— Moi, c'est Mirabelle.

Camille s'avança de quelques pas dans la chambre.

— Tu te prépares pour aller à ton bal ?

— Heu... Oui...

— T'es chanceuse, dit Camille.

Sa démarche était si vacillante que Mirabelle crut que la jeune fille allait tomber, mais elle comprit que ce n'était en fait que son extrême maigreur qui donnait l'impression qu'elle allait se casser.

Camille vint la rejoindre et s'assit à côté d'elle sur son lit.

— Moi, je l'ai raté. J'étais ici à l'hôpital… Et ça fait deux ans que j'y reviens souvent.

— C'est vrai ? demanda Mirabelle, ahurie.

Il arrivait donc que des gens ne s'en sortent pas ? L'angoisse montait en elle. Son interlocutrice dut bien sentir son inquiétude puisqu'elle tenta rapidement de la rassurer.

— Oh, mais t'inquiète pas. Toi, tu vas t'en sortir… Avec tout le monde qui entre et qui sort d'ici, je vois bien que t'as des gens pour t'aider.

— Pas toi ?

— Bof… Oui… et non. En fait, je pense qu'ils sont découragés. Déçus.

Camille prit un tube de rouge à lèvres qu'elle ouvrit pour en scruter la couleur.

— J'ai souvent déçu tout le monde. À commencer par moi-même. Tu sais, le genre de fille qui n'est jamais à la hauteur de rien. Avant, petite, j'étais bonne dans tout. Mais maintenant, je suis juste normale. Et je peux pas me le permettre.

Mirabelle ne savait plus quoi dire. Cette fille semblait si déprimée ! Pire, désillusionnée ! Encore bien davantage qu'elle avait pu l'être elle-même. Camille lui sourit, mais son sourire n'était pas franc. Il était triste. Comme ses yeux. Son visage. Son corps. Tout semblait triste en elle.

— Mais je vais bientôt partir…

— C'est vrai ? demanda Mirabelle, étonnée. Tu vas avoir ton congé de l'hôpital ?

— Si on veut…

Mirabelle la regarda, tentant de cerner ce qu'elle voulait dire. Il était évident qu'avec la maigreur qui l'accablait, on ne la laisserait pas sortir de sitôt. Parlait-elle de sa mort ? Des frissons lui parcoururent le corps. Elle ne savait plus si elle devait continuer à lui poser des questions ou passer à autre chose. Elle décida enfin de parler de ce qui la préoccupait.

— Comment ils prennent ça, ton anorexie, tes parents ?

Mirabelle se surprit elle-même. C'était la première fois qu'elle parlait d'anorexie, qu'elle mettait un mot sur la maladie qui l'affectait, elle, tout comme la jeune fille qui lui faisait face.

— Ils l'ont mal pris, c'est sûr… Au début, ils se débattaient comme des diables pour m'aider. Mais maintenant, ils ne viennent même plus me voir.

— Comment ça ? s'étonna Mirabelle.

— Ma mère est prof… Quand j'étais petite, elle m'appelait toujours de l'école pour voir comment ça allait. Elle parlait de moi à tous ses élèves. Et aujourd'hui, elle m'ignore. Elle me dit qu'elle a assez pleuré, que c'est à moi de décider de ma vie.

Mirabelle avait l'impression de vivre en plein cauchemar. Quelle histoire sordide ! Elle était convaincue que jamais ses parents n'auraient baissé les bras. Pas même sa mère…

— Tu sais, c'est pas parce qu'ils m'aiment pas, mes parents. Ils m'adorent, au contraire. Mais l'adoration, c'est pas de l'amour. On adore quelqu'un qui est parfait, qui fait pas de fausses notes. On adore un dieu…

Camille déposa le rouge à lèvres et regarda les fards à paupières.

— Ils sont jolis. Quelle couleur vas-tu te mettre sur les yeux?

Mirabelle fut surprise par le côté terre à terre de sa question et resta interdite quelques secondes.

— Heu… Je sais pas. Je sais pas si je vais en mettre, de toute façon.

— Avec ta robe, tu devrais. Ça fait années soixante-soixante-dix. Tu devrais mettre du bleu ciel et même des faux cils. T'en as?

— Non… Pas encore. Mais je compte en acheter… Et toi, t'aurais aimé aller à ton bal?

— Non, pas à ce moment-là. Aujourd'hui, je me dis que ça aurait pu être cool, mais ça veut rien dire parce que je trouve que tout aurait pu être cool, après coup.

Mirabelle garda le silence, de peur que ses questions n'amènent d'autres réponses plus déprimantes encore. Camille continua donc de l'interroger.

— Et tu y vas accompagnée?

— Oui…

Mirabelle ne put cacher un sourire coquin.

— C'est le gars qui vient des fois, le grand châtain avec un beau sourire?

— Oui…

— T'es vachement chanceuse! J'aurais pas manqué mon bal moi non plus si j'avais eu un gars comme ça!

— Ça a pris du temps pour me convaincre, mais ça peut pas être pire que de rester ici.

— Moi, j'aime bien, relança Camille. Je connais toutes les infirmières, les médecins, les psychologues. Je connais presque mieux cet hôpital que ma propre maison. J'ai la TV payante, des meubles juste à moi, plein de jeux. Je suis gâtée.

Camille s'exprimait avec tant de calme et de résignation que Mirabelle se demandait si elle n'avait vraiment que dix-sept ans. Elle semblait si mûre. Comme ces malades qui savent qu'ils n'ont plus que quelques mois à vivre et qui acceptent leur sort.

— Et personne vient te voir parmi tous les gens que tu connais?

— Oui… Une tante que j'aime beaucoup, puis ma grand-mère. Mais c'est rien pour me remonter le moral, elle pleure comme une Madeleine à chaque fois. Elle me répète: « Ç'a pas d'allure, tu t'es pas vue? Un vrai paquet d'os. Tu peux pas te laisser aller de même. Il faut que tu te ressaisisses, ma fille. »

Camille avait emprunté la voix tremblotante d'une grand-mère et son imitation amusa Mirabelle.

Le Dr Fortier entra dans la chambre et salua Camille et Mirabelle.

— Bon, ben, à plus, fit la jeune voisine, qui repartit en vacillant vers sa chambre.

Mirabelle était remuée par cette visite. Il y avait donc des filles qui y restaient ? La thérapie et tout le reste pouvaient échouer ? Tout ça aurait pu la décourager, mais elle ne se laissa pas démonter. Au contraire. Elle allait faire tout en son pouvoir pour ne pas sombrer comme Camille dans ce qui semblait être le tunnel de la fin. Elle eut un frisson.

— Ma belle, les nouvelles sont encourageantes, dit le médecin. Tu as pris près de deux kilos cette semaine.

Cette annonce l'aurait sûrement déçue, avant, mais aujourd'hui, à cet instant même, il en était tout autrement. Son visage s'éclaira. Elle adressa un tel sourire au docteur qu'il en fut étonné. Il le lui rendit, encouragé.

CONCENTRATION : ARTS

★ Antoine était agenouillé devant un morceau de polystyrène qu'il entaillait avec un exacto. Il avait en tête de façon très précise ce qu'il allait faire et était si concentré qu'il n'entendait pas les autres élèves parler à côté de lui, pas plus qu'il ne sentit le regard que Carl posait sur lui. Aussi, lorsque ce dernier s'éclaircit la voix, Antoine sursauta.

— Excuse-moi, man, je pensais pas que t'étais concentré comme ça.

— Tu le sais, Carl, quand je travaille, je suis complètement absorbé par ce que je fais.

— Dans un état moitié végétatif, moitié méditatif.

— Comme tu dis, ajouta Antoine en ne s'arrêtant pas pour autant.

— Qu'est-ce que tu fais?

— Une partie du décor pour le bal.

— Ça, je m'en doute, mais à part ça, plus précisément.

— Tu verras bien, dit Antoine.

— Ah, fais-moi-la pas à moi, celle-là, man. Je suis ton meilleur ami.

— T'as pas vu mon nouveau t-shirt, j'imagine?

— Quoi? s'étonna l'autre.

Antoine se retourna en tirant sur son t-shirt pour bien le montrer à son ami. Il y était écrit: *Je ne m'appelle pas man.*

Carl éclata de rire.

— C'est bon!

— Mais c'est vrai.

Antoine détestait plus que tout qu'on l'appelle « man », surtout pour se donner un air de dur. Son ami était spécialiste dans ce domaine. Avec son pantalon qui tenait par une corde sur ses hanches, dévoilant sans pudeur ses caleçons, avec sa casquette carrée, son chandail large et son grand collier qui descendait sur sa poitrine, Carl arborait un style qui était à des années-lumière du sien. Ils étaient les meilleurs amis depuis la maternelle mais, ces derniers mois, Antoine avait pris du recul, peut-être déçu par la réaction de retrait, de fuite que son ami avait eue quand Antoine avait connu des difficultés à la suite du départ de son père. Ou peut-être qu'ils n'avaient tout simplement plus grand-chose en commun.

Quelques minutes passèrent avant que Carl rompe le silence à nouveau.

— C'est vrai ce qu'on dit ?

— Tu sais, les rumeurs, moi, j'en ai pas grand-chose à faire, dit Antoine qui avait repris son travail, très concentré sur sa tâche.

La date du bal arrivait à grands pas et il ne se sentait pas aussi prêt qu'il l'aurait voulu.

— Comme ça, tu sortirais avec l'échalote ?

Antoine réfléchit quelques secondes, mais il n'avait rien à cacher.

— Et ça dérangerait qui ? répondit-il enfin.

— Non, c'est pas vrai ? La fille la moins sexy de l'école ! Qu'est-ce que tu fous, man ?

Malgré toute la tolérance qu'Antoine avait généralement, il se sentit à ce moment précis piqué profondément dans son orgueil.

— C'est à peu près la seule fille ici qui a quelque chose dans le crâne. Je le sais que pour toi, c'est peut-être pas important…

Carl l'interrompit.

— Hey, man, es-tu en train de dire que je suis pas intelligent ?

Antoine ne dit rien. Sandra, juchée sur des escarpins qui semblaient hauts de trois mètres, entra, habillée aux limites de l'acceptable pour ne pas être renvoyée chez elle par l'école. Elle affichait un sourire aussi large que sa grande bouche le lui permettait, un sourire destiné à Antoine, qui ne voyait absolument rien.

— Salut! leur dit-elle.

Antoine lui souffla un léger bonjour, l'air un peu froid, toujours troublé par le commentaire que venait de lui faire son soi-disant meilleur ami. Antoine était toujours gentil avec tout le monde, tellement que les filles pensaient qu'il s'intéressait à elles. Si elles savaient à quel point il se donnait tout entier quand il aimait! Ça allait au-delà du simple sourire.

— Mon Dieu, qu'est-ce qu'il a? murmura Sandra dans l'oreille de Carl.

— J'ai bien peur qu'il soit amoureux.

— De qui?

— C'est ce qui m'inquiète le plus. Je pense qu'il va pas très bien.

— De qui? insista l'adolescente.

Carl lui fit signe de s'approcher, pour être certain que son ami n'entende pas la réaction qu'il s'attendait à déclencher.

— De l'échalote!

— Mirabelle Grenier?

Tout le monde connaissait l'échalote. Surtout depuis qu'elle avait été hospitalisée; et si cela avait fait monter une vague de sympathie chez une majorité de jeunes qui s'étaient cotisés pour lui offrir des fleurs, d'autres qui comprenaient mal la maladie cultivaient davantage de mépris à son égard. C'était le cas de Sandra. Son regard était brillant.

— J'ai encore toutes mes chances, dans ce cas.

Carl dodelina de la tête.

— À ta place, j'y compterais pas trop.

— Regarde-moi bien aller !

L'adolescente s'avança à nouveau vers Antoine et se pencha, d'une part pour faire semblant d'admirer le travail qu'il était en train de faire, d'autre part, et surtout, pour mettre les formes de son corps en valeur.

— C'est super-beau, ce que tu fais.

— Merci, dit Antoine qui n'était pas dupe.

— C'est quoi ?

— Tu verras le jour du bal.

— Tu me le dis même pas à moi ? dit-elle en faisant une fausse moue.

Elle faisait valser sa gomme à mâcher dans sa bouche en affichant un sourire qu'elle voulait coquin.

— Pourquoi plus à toi qu'à un autre ?

Sandra fut ébranlée par cette réponse.

— Ben… Je sais pas, parce que je te le demande.

Antoine ne dit rien.

— Je suis toute seule pour le bal, dit Sandra.

— T'auras sûrement pas de difficulté à te trouver quelqu'un, répondit Antoine avec une froideur qui déconcerta son interlocutrice.

— J'irais bien avec toi, s'avança-t-elle encore, pourtant de moins en moins sûre de la réponse.

Qu'Antoine soit amoureux de l'échalote, qu'il soit avec quelqu'un d'autre, en fait, la stimulait davantage. Elle voulait le conquérir.

— J'aime tellement ce que tu fais. T'as vraiment un don. Je trouve que t'es le meilleur de la classe.

Antoine répondit par un autre « merci » et se décida à la fixer dans les yeux. Elle lui fit les yeux doux, pensant pouvoir user de son charme à pleine capacité, mais le regard fixe et persistant qu'il lui offrit en retour la mit soudain mal à l'aise. Elle se leva.

— Bon, bien je vais y aller. J'ai mon cours qui commence bientôt. Bye, Carl.

— C'est tout ce que tu sais faire ? lui chuchota Carl dans l'oreille.

— C'est pas un vrai… Il doit être gai.

Carl s'esclaffa en constatant que Sandra avait échoué.

De son côté, Antoine se sentait de plus en plus seul. Il savait bien que ses choix amoureux ne faisaient pas l'unanimité, mais s'il fallait qu'il sacrifie ses amitiés, c'est que ce n'en était plus des vraies. Étrangement, depuis le départ de son père, il ne craignait plus de se retrouver seul. Il préférait avoir autour de lui des personnes intègres, fidèles, même si, pour cela, il devait d'abord passer par la solitude et faire un grand ménage.

L'adolescent sculpta ce qui avait l'apparence d'une forme humaine. Son cellulaire sonna.

UNE DERNIÈRE TASSE

★ La mère d'Antoine délirait dans le téléphone, sa bouche était si pâteuse qu'elle avait du mal à articuler. Lisa était au bord du coma éthylique, tellement ivre qu'elle craignait que son cœur cède. Elle implorait son fils de venir la sauver.

Ce qu'il découvrit quand il arriva chez elle, c'est un corps inanimé étalé sur le sol. Il revit en flash le départ de son père. Il se pencha sur sa mère et tâta son pouls. Elle était vivante. Il agrippa son téléphone cellulaire et composa le 911.

Quand les ambulanciers arrivèrent et emportèrent le corps flasque de sa mère sur une civière, quand il entendit cette dernière grommeler en grimaçant, quand il vit de la bave s'écouler de sa bouche, Antoine s'écroula sur le divan.

— Vous voulez pas nous accompagner ? demanda le plus jeune des ambulanciers en terminant ses manœuvres.

— Non, laissa tomber Antoine en tremblant.

Il laissa donc partir sa mère seule face à son destin, la femme qui lui avait donné la vie, qui souriait tant quand il était petit, celle qui leur avait tout donné. Lui ne pouvait plus rien lui offrir. C'était trop.

Il laissa passer quelques minutes et se leva d'un pas décidé pour aller jusqu'au bar du salon, que sa mère, malgré ses efforts, n'avait pas réussi à vider complètement. Il ouvrit une bouteille de cognac et allait en porter le goulot à sa bouche, mais il arrêta son geste. Il regarda la bouteille et la lança sur le mur, furieux. Les éclats de verre et le liquide se répandirent dans le salon. Il se laissa glisser le long du bar en faux bois et se prit la tête entre les mains. Sa mère devrait s'aider elle-même. Il ne pouvait rien faire pour elle.

Il se mit à penser à Mirabelle et à sa manie de s'entourer de gens tordus. En songeant à l'anorexie de son amie, il se demanda s'il avait vraiment envie de se lancer dans une relation qui pouvait avoir une issue aussi tragique que celle de sa mère… Il se disait que l'anorexie, c'était un peu comme l'alcoolisme : chercher à mourir à petit feu. Avait-il vraiment besoin de se compliquer la vie ? Et si Mirabelle refusait de se nourrir à nouveau ? Allait-il s'amouracher d'une fille aussi instable ? Que cherchait-il ? Il n'était pas un sauveur !

Il releva la tête et son regard tomba sur une photo de famille posée sur la cheminée. Il eut des flashs des sculptures qu'il avait créées jusqu'à ce jour. Des images de Mirabelle se mêlèrent dans sa tête. Il revoyait son sourire, sa moue irrésistible, repassait en mémoire la force et la détermination qu'elle avait quand elle s'entraînait et tous les efforts qu'elle avait faits jusqu'à maintenant pour s'en sortir. Non, Mirabelle n'était pas comme sa mère.

Ses idées s'ordonnèrent et tout lui apparut plus calme, plus clair. Il ne doutait soudain plus de rien. Il savait que Mirabelle vaincrait. Et si ce n'était pas le cas, il verrait bien à ce moment-là. Il ne pouvait reculer par lâcheté. Mirabelle n'était pas sa mère et sa mère reviendrait sûrement de l'enfer un jour. Il ne s'en sentirait simplement plus responsable. Il avait juste envie de donner, de recevoir, de vivre pleinement le moment présent ; il était bien décidé à y parvenir en faisant le ménage de ceux qui se mettraient en travers de sa route.

LE JOUR B POUR « BAL »

★ Mirabelle avait obtenu son congé pour le week-end. Elle ne devrait retourner à l'hôpital qu'en cas de besoin. Mais elle ne voulait plus y remettre les pieds. Elle devait trouver la volonté de s'en sortir, elle devait tenir. Elle s'ennuyait trop d'Antoine, maintenant, et elle voulait recommencer une nouvelle vie.

La musique de Simple Plan cartonnait dans sa chambre pendant que Mégane la maquillait et la coiffait. Dans moins d'une heure, la limousine et leurs deux amoureux allaient se présenter à la porte. Mirabelle n'en revenait pas ! Elle qui, il y a tout juste un mois, pensait mourir, se retrouvait aujourd'hui animée d'une excitation qu'elle n'avait plus connue depuis longtemps. Elle se sentait débordante d'énergie. Mégane baissa le son.

— Hey! J'ai complètement oublié de te dire…
La semaine dernière, il y a eu une méga-bataille de
bouffe dans la cafétéria. T'aurais dû voir ça! C'était
le bordel!

— Hein? Qui c'est qui a commencé?

— J'ai pas trop vu, en fait. Je sais que Jules Car-
rier a été un des premiers à lancer quelque chose
parce que c'est moi qui ai reçu sa nouille en plein
visage.

— Quoi? T'es pas sérieuse?

Mirabelle eut le fou rire rien qu'à imaginer
sa cousine, si propre, si parfaite, avec une nouille
dégoulinante de sauce sur la tronche.

— Mais le problème, c'est que ça s'est mis à jeter
du pain à l'ail, des barres tendres, des bananes, des
yogourts… Je te dis pas le mélange d'odeurs! C'était
dégoûtant.

Cette fois, Mirabelle rigolait de bon cœur.

— Tu peux bien rire! Je t'y aurais vue, toi!

Mon Dieu, non! Par chance, elle n'avait pas été
là! De la nourriture partout autour d'elle et sur elle!
Beurk!

— Et comment ç'a fini?

— Mme Ladouceur était là avec des surveillants
parce qu'il y avait des rumeurs depuis plusieurs
jours que ça se préparait, donc ç'a pas duré longtemps… Mais le problème, c'est que j'étais au fond
de la salle et que j'ai jamais pu sortir de là avant que
la directrice nous enferme tous et nous fasse subir
son interrogatoire. Elle voulait absolument savoir
qui avait fait le coup.

— Puis ? dit Mirabelle en appliquant du rose sur ses lèvres.

— Au début, on pensait que c'était la gang à Janvier qui avait organisé tout ça, mais c'est venu de partout, sauf d'eux. Ils s'en sont tirés, encore une fois.

Françoise frappa à la porte. Mégane, le fer à friser à la main, lui ouvrit. Sa tante tenait deux flûtes à champagne.

— Pour vous, les filles !

— Génial ! fit Mégane, étonnée.

— Je suis très fière de vous. Vous avez vécu cinq belles années et ça se fête.

Mirabelle fut surprise par le comportement de sa mère et lança un regard interrogatif à sa cousine. Elle hésita, mais accepta la coupe que lui tendait Françoise. Les deux filles entrechoquèrent leurs verres.

— Tchin !

— Tchin !

Mirabelle se tenait sur ses gardes, comme si elle craignait que sa mère lui sorte une quelconque méchanceté, mais cette dernière n'en fit rien. Au contraire, elle la scruta de la tête aux pieds et lui dit :

— Tu es magnifique, ma puce.

Mirabelle était estomaquée, tant et si bien qu'elle ne trouva pas les mots pour remercier sa mère. Elle la regardait, figée.

— Elle ne s'est pas encore vue, je le lui ai refusé, ajouta Mégane, qui tentait de combler le silence de sa cousine. Tu vas avoir un choc, ma belle !

— Hey, tu vas comment, raisin sec ? dit Émile, qui entrait en trombe. Oups… excuse-moi, ajouta-t-il en prenant conscience que ce surnom risquait de la blesser.

— C'est pas grave, moustique, dit Mirabelle. Je serai toujours ton raisin sec.

Il sourit, puis écarquilla les yeux.

— Hééé ! Super canon !

— Merci, répondit-elle fièrement, en jetant un regard rapide à sa robe.

— Bon, c'est bien beau, mais j'ai du travail. Allez ouste ! dit Mégane en déposant son verre sur la commode et en reprenant le fer. Elle attrapa une mèche de cheveux de Mirabelle.

— On vous laisse, dit Françoise. Tu es très belle, toi aussi, Mégane. Vraiment les filles, vous allez flasher !

Les deux adolescentes se regardèrent, complices. La porte se referma.

— Qu'est-ce qui lui prend à ta mère ? demanda Mégane en passant le fer sur une mèche.

— Vraiment, je le sais pas ! C'est elle qui a subi la plus grande métamorphose… Elle a peut-être reçu un coup sur la tête…

— Hé, du champagne, on rit plus ! fit Mégane en prenant une gorgée.

— Il faut croire que tout le monde peut changer, dit Mirabelle.

— Il faut croire.

Mégane trinqua encore une fois avec sa cousine.

— Santé, ma chérie !

— Santé, cocotte ! dit Mirabelle.

— On recommence ça, tu me regardais pas dans les yeux.

Mirabelle agrandit ses yeux, comme un crapaud, se mit à rire et cogna le verre de Mégane à nouveau. Elle se sentait bien. Beaucoup de choses en elle avaient changé, oui, mais quelque chose dans la maison venait aussi de se transformer.

DEUX BEAUTÉS

★ Mirabelle se regarda enfin dans le miroir et ce qu'elle vit la surprit. Pour la première fois depuis des siècles, elle se trouvait vraiment mignonne. Mieux : attirante !

Quand les adolescentes sortirent de la chambre, elles eurent droit à un comité d'accueil dans le salon. Françoise, Pierre-Marc et Émile attendaient, impatients de les voir. Ils ne furent pas déçus. Mégane portait avec élégance sa robe argentée, très courte. Le soleil se reflétait sur les carrés métallisés. Elle avait fait gonfler sa frange, et ses cheveux peignés vers l'arrière étaient retenus par un ruban argenté. Enfin, ses paupières étaient recouvertes de fard bleu poudre et ses cils, d'épais mascara noir. Mirabelle, quant à elle, portait avec élégance sa robe noire à col blanc et de longues bottes à talons blanches en cuir, qui lui donnaient un look d'enfer. Dans ses cheveux très courts, elle avait posé des lunettes blanches.

— Vous êtes vraiment belles! dit Françoise. Vraiment superbes!

Elle jeta un coup d'œil furtif à Pierre-Marc et lui prit la main. Il la regarda fièrement.

Les deux filles se sourirent à leur tour, heureuses de leur coup.

Émile, lui, était soufflé. Il ne disait pas un mot. Ce que sa cousine et sa sœur étaient sexy! Pierre-Marc déclenchait le flash de son appareil photo sans répit. Sa grande qui allait à son bal! Ce n'était pas rien!

— O.K., les filles, on va aller prendre des photos dehors, dit-il en les invitant à sortir en avant de la maison où des pivoines rouge foncé et blanches s'épanouissaient.

L'air était lourd et humide, toutes les odeurs semblaient s'éveiller. Mirabelle leva les yeux au ciel. Une telle chaleur appelait l'orage, mais pour l'instant, rien dans ce ciel bleu ne laissait présager quelque tempête que ce soit sur Montréal. Elle commençait à ressentir des crampes au ventre. Elle regarda sa montre. Antoine devait être devant elle dans moins de dix minutes.

— Allez, souriez! insista Pierre-Marc qui en était sûrement à sa centième pose en moins de cinq minutes.

Mirabelle remarqua que quelques voisins regardaient dans leur direction. Tout le monde était assis sur son balcon à siroter un rafraîchissement et voulait savoir ce qui pouvait bien se passer chez elle. Elle se sentait comme une princesse, la reine du jour. Son cœur se gonflait de fierté. Il y avait longtemps qu'elle n'avait pas éprouvé un tel sentiment. Elle avait réussi ses examens, sa relation amoureuse avec Antoine partait d'un bon pied et, mieux encore, sa mère semblait différente, moins arrogante… Elle était aujourd'hui convaincue qu'elle allait gagner sa bataille contre l'anorexie.

Le bruit d'un klaxon la fit sursauter. Ils étaient là. La limousine s'avançait au bout de la rue. Pierre-Marc s'élança pour enlever les cônes orange qu'il avait placés devant chez lui dans le but de réserver la place à la voiture de luxe. Mirabelle tâta ses mains moites. Ses parents n'avaient encore jamais rencontré son amoureux. Comment le trouveraient-ils ? Et lui, allait-il aimer son look ? Les vitres teintées firent durer le plaisir de longues secondes, beaucoup trop longues pour elle. Mégane, sautillante, lui prit le bras.

— Alors, qui avait raison ? T'aurais manqué ça ! Tu te rends compte ?

— Merci, lui glissa Mirabelle, aussi excitée que sa cousine. Merci d'avoir insisté.

Les portières de la limousine s'ouvrirent. Marcos, qui servait aujourd'hui de cavalier à Mégane, descendit le premier. Il avait l'apparence parfaite d'un jeune homme de la fin des années soixante : il portait un pull jaune moutarde avec une fermeture éclair au col, un pantalon en velours côtelé brun et des souliers vernis noirs. Ses cheveux bruns étaient plaqués sur son front et recouvraient ses oreilles. Mirabelle mourait d'envie de découvrir Antoine, mais il se fit attendre quelques secondes encore. Elle s'avança au moment où il sortit du véhicule en exhibant sa grande taille, mais aussi son costume de circonstance : pantalons serrés de couleur bordeaux, chemise beige à fines rayures brunes, cravate bordeaux et bottillons noirs pointus.

Ses yeux s'agrandirent lorsqu'il vit celle qui l'accompagnerait au bal, celle qui avait conquis son cœur.

— Mirabelle… T'es vraiment… hallucinante !

— T'es super-cool, toi aussi !

Ils étaient un peu maladroits l'un avec l'autre, ne sachant trop quoi dire, comme s'ils se découvraient pour la première fois. Ils ne pensèrent même pas à s'embrasser, ce qui n'était pas le cas de Mégane dont les effusions n'étaient ni cachées, ni timides. Françoise alla à leur rencontre et tendit la main au cavalier de sa fille.

— Bonjour Antoine, moi, c'est Françoise.

— Bonjour madame Grenier.

Les déclics de l'appareil de Pierre-Marc firent une pause, le temps que ce dernier serre la main d'Antoine.

De son côté, Émile se faisait plutôt discret, assis sur une marche de l'escalier pour tout voir.

— Là-bas, c'est mon frère Émile.

— Salut, dit Antoine en lui envoyant la main.

— Salut, répondit Émile en forçant la voix pour se faire entendre.

Ça lui faisait tout drôle à lui aussi de voir sa sœur se préparer à son bal, mais surtout de la voir aussi épanouie.

Antoine prit la main de Mirabelle.

— Bon, bien, il faut y aller.

— O.K.

Mégane et Mirabelle embrassèrent Françoise et Pierre-Marc qui les regardèrent monter dans la limousine, le cœur serré. Ce moment signifiait beaucoup de choses. Il signait non seulement la fin d'une étape scolaire, la fin de l'adolescence, mais surtout, pour leur fille, un superbe retour à vie. Ils savaient qu'elle venait d'échapper à un cercle vicieux qui aurait pu lui être fatal. Bien sûr, ils n'étaient à l'abri de rien! Mirabelle pouvait rechuter n'importe quand, mais dorénavant, tout le monde allait être aux aguets.

Les jeunes s'installèrent dans la limousine, les uns face aux autres. Le chauffeur était l'oncle de Marcos.

— On y va? demanda-t-il avec un accent sud-américain sympathique.

Les quatre adolescents répondirent « oui » à l'unisson en souriant, excités. Un tour en limousine, c'était une première pour Mirabelle. Antoine se tourna vers elle et l'embrassa doucement.

— T'es vraiment belle, très belle.

— Merci, laissa-t-elle tomber timidement.

La limousine démarra, vitres baissées. Tous saluèrent les parents de Mirabelle en agitant la main. Au bout de la rue, Mirabelle sortit la tête pour crier :

— Bye, bye, petit frère ! Dans deux ans, ce sera ton tour !

Émile se leva dans l'escalier et lui envoya la main, ému.

Ça y était ! Elle s'y rendait. Le grand jour tant attendu était arrivé.

ET POURQUOI PAS LE BONHEUR ?

★ Le tonnerre grondait dans le ciel, et pourtant il faisait encore beau. C'est à l'horizon que se profilaient des nuages menaçants. Mirabelle était heureuse d'arriver à destination. Elle regarda son école au loin, celle qui avait été le théâtre de tant de tristesse et de stress pour elle. Il lui semblait que, aujourd'hui seulement, elle se réconciliait avec elle, après tant d'années… Il était peut-être un peu tard. En fait, non. Si au moins elle pouvait apprécier son bal, ce serait déjà pas si mal ! Certains élèves avaient passé des années merveilleuses entre ces quatre murs et allaient peut-être vivre un bal décevant. Elle voulait être positive et savourer chaque moment, sans trop y penser.

Avant de descendre de la voiture, elle jeta un coup d'œil à son amoureux pour se rassurer. Elle anticipait les regards qui allaient se fixer sur elle, sur la maigre, la malade... l'anorexique en rémission. Antoine lui saisit la main.

— Ça va aller.

Elle prit une grande inspiration et posa le pied en dehors de la limousine. Son ventre se contracta de nervosité. Elle était toute tremblante. Antoine avait pressenti cette réaction et s'était empressé de descendre avant elle, de faire le tour du véhicule pour la rejoindre et la mener fièrement vers la porte d'entrée. Les regards se tournèrent en effet vers elle, mais ce n'était pas tant par curiosité de voir se pointer l'ado qui avait failli y rester que pour admirer à quel point elle était resplendissante. Ses joues et ses membres ayant repris du volume, ses cheveux embellis par sa coiffure, ses vêtements ajustés comme il faut, Mirabelle était tout simplement métamorphosée. Pour une fois, Mégane, derrière elle, ne lui fit même pas ombrage.

Ils entrèrent dans le bâtiment et se laissèrent guider par la musique qui émanait directement de l'agora. Mirabelle avait l'impression d'être la princesse Sissi, aussi belle que Romy Schneider dans la série qu'elle avait suivie avec tant de passion étant petite. Sans s'en rendre compte, elle serrait si fort la main de son cavalier que cette dernière était rouge.

— Aïe, mignonne! Je partirai pas, t'inquiète pas!

— Excuse-moi, s'empressa-t-elle de dire en desserrant les doigts.

Devant elle se profilaient les marches menant à l'agora, lieu de l'événement avec un grand É. Elle devait les monter avec dignité, surtout ne pas trébucher. En haut, elle apercevait la piste de danse avec, tout au fond, Grégory Auclair, le D.J., et l'animateur, François Janvier, qu'elle reconnut immédiatement. Un écran géant montrait des images des années soixante ; on voyait des filles en minijupes danser sur de la musique yéyé, puis une performance de Jimmy Hendrix entrecoupée d'images des premiers pas sur la Lune. Mirabelle se retourna et aperçut, au fond de la salle près de l'entrée, Julien Prévost, V.J. pour l'occasion, qui manipulait un ordinateur portable pour donner naissance aux images de la soirée.

Mirabelle découvrait aussi les tables au centre, le buffet dressé à gauche et une immense fontaine de chocolat au bout de celui-ci. Du chocolat ! Elle en était folle… Et il y avait si longtemps qu'elle n'avait pas succombé à la tentation. Le décor était époustouflant, rempli de couleurs et de formes géométriques hallucinantes. Au plafond pendaient des boules disco en aluminium et, sur les tables, on avait posé des lampes créées à partir de bouteilles de vin. À sa gauche tournoyait un mobile fabriqué avec de vieux disques en vinyle. Mirabelle était impressionnée. Les élèves du cours d'arts avaient vraiment bien travaillé et elle n'était pas peu fière de sortir avec l'un d'eux.

— C'est vraiment beau ce que vous avez fait, dit-elle à Antoine.

Antoine était heureux de ce compliment. Il savait bien qu'elle n'était pas au bout de ses surprises. En effet, arrivée au milieu des escaliers, elle leva la tête et vit une sculpture géante taillée dans du *foamcore*, représentant deux danseurs des années soixante enlacés. La fille était vêtue d'une courte jupe rouge et d'un t-shirt blanc. Elle portait des socquettes blanches et des baskets roses. Lui avait un veston et des pantalons noirs, une chemise blanche et des souliers pointus noirs. Elle leva la tête vers leur visage et resta bouche bée quand elle constata que c'était Antoine et elle. Elle reconnut ses cheveux, sa bague, ses grands yeux. Elle se reconnut elle, ni trop maigre, ni trop grosse.

— C'est toi qui as fait ça ? lui demanda-t-elle en se retournant, ahurie.

— Qui d'autre veux-tu que ce soit ? demanda Mégane à son tour.

Mirabelle n'en revenait pas. Elle se retourna pour regarder sa cousine.

— Ah, parce que t'étais au courant ?

Mégane se pencha à son oreille.

— Quand je te disais qu'il t'aimait vraiment beaucoup...

Mirabelle était enivrée de bonheur.

— Veux-tu que j'aille te chercher un verre de punch ? lui demanda Antoine.

— S'il te plaît. Ça me prend quelque chose pour me remettre de ça, dit-elle, blagueuse.

Elle admira l'œuvre encore quelques instants, puis continua de descendre. La salle était grandiose. Cette agora qu'elle fuyait comme la peste depuis cinq ans, puisqu'elle était le lieu de rassemblement des gens populaires de l'école, lui ouvrait enfin généreusement ses portes. Et tout était si beau! Elle qui n'avait jamais dansé sentait ses jambes la démanger à l'écoute de la chanson *Help*, des Beatles. Déjà plusieurs jeunes s'émoustillaient les uns les autres en tentant d'apprivoiser les pas de cette époque reculée. Elle y reconnut Victor, venu en pyjama. Mirabelle sourit de cette originalité. Les étudiants ne savaient pour la plupart pas danser le rock'n'roll, mais peu importe. La professeure de biologie Sandra Sanchez, à la beauté frappante et à l'énergie débordante, donnait le ton, accompagnée de Picasso, le professeur d'arts plastiques, qui prenait visiblement un malin plaisir à la regarder se déhancher. Lui, toutefois, ne suivait pas le rythme, ce qui faisait rire Mirabelle. Et pas seulement elle!

— On y va? demanda Mégane.

— T'es folle! Jamais!

— Allez! insista sa cousine en la tirant par le bras.

— Non!

— T'adores cette chanson. *Let's go!*

En moins de temps qu'il n'en fallait pour le dire, elle se retrouva partie intégrante de l'attraction. Et dire qu'il y avait moins d'un mois, elle ne pensait même pas venir! Mégane avait encore gagné.

Sur la piste de danse, elle se sentit plutôt maladroite au départ, mais rapidement, elle se mit à chanter les paroles de cette chanson que sa mère avait si longtemps écoutée quand elle était jeune : « *Help, I need somebody, help!* » C'était comme si elle appelait à l'aide de tout cœur. Toutes ces années à attendre que la flamme s'allume, tous ces jours à attendre le bonheur, et il était peut-être à sa porte : « *Help…* » Elle fixait sa cousine en riant pour ne surtout pas voir les gens qui la regardaient à droite, à gauche. Et puis, finalement, elle s'en ficha ! Elle voulait être heureuse et, à partir de maintenant, rien ni personne ne pourrait ébranler la confiance en elle qu'elle bâtissait tranquillement. Elle avait du plaisir, simplement. Elle ne voyait pas Antoine qui était revenu près de la piste de danse, les deux verres de punch dans les mains, et qui la regardait danser. Venant d'elle, en effet, c'était un véritable exploit. Encore plus important que toutes les compétitions qu'elle avait remportées au fil du temps. Il était bigrement fier d'elle. Il marquait le tempo en bougeant légèrement. Il aurait aimé la rejoindre, mais il dansait vraiment comme un pied… et comme il avait son orgueil, il préférait laisser la place à d'autres. À son grand étonnement, Mirabelle dansait très bien. Elle suivait le rythme et se laissait aller au son de la musique. Elle qui craignait tellement de se donner en spectacle !

Puis, le D.J. passa The Mamas & the Papas. Mirabelle connaissait mal ce groupe et préféra revenir vers Antoine. Assoiffée, elle accepta le punch qu'il lui offrit.

— En tout cas, une chose est sûre, c'est qu'il faut pas t'écouter quand tu dis que t'es bonne à rien, parce que, franchement, tu te débrouilles très bien sur une piste de danse!

— Merci, t'es gentil, dit Mirabelle, essoufflée.

Elle sentait des gouttes de sueur perler et craignit qu'elles n'endommagent son maquillage. Elle prit une serviette sur une table et s'essuya.

— Je vais aux toilettes, dit-elle en lui remettant son verre de punch entre les mains.

Elle se fraya difficilement un passage entre les gens qui se faisaient de plus en plus nombreux. Tous ces visages qu'elle connaissait sans vraiment les connaître... Il y en avait tant! Sur l'écran géant, des filles hystériques dansaient en noir et blanc. Puis, des images de la guerre du Vietnam, de la révolte étudiante française en mai 1968, de l'assassinat de J. F. Kennedy et de celui de Martin Luther King en plein discours défilaient dans un ralenti porteur d'une émotion garantie. Mirabelle s'y connaissait en histoire, mais elle était convaincue que la moitié des gens ici ne savaient pas qui étaient ces personnages qui avaient tant marqué leur époque.

Yulia vint se poster derrière elle et lui tapota l'épaule.

— Salut, Mirabelle!

Cette dernière se retourna.

— Hé, salut!

Mirabelle admira la tenue vestimentaire de sa camarade. Yulia portait une robe longue et droite bleu ciel, avec des volants de dentelle blanche, qui détonnait avec le thème des années soixante, mais Mirabelle la trouvait tout de même jolie. Ses cheveux bruns étaient lâchés sur son dos et elle portait une étoile de David au cou.

— T'es très belle !

Yulia sourit timidement et la remercia.

— Est-ce que t'es venue accompagnée ?

Yulia répondit, visiblement mal à l'aise.

— Euh, non… pas exactement. Enfin, c'est compliqué… Et toi ? T'es avec quelqu'un ?

— Oui, avec Antoine Labrie.

— Hein ! C'est vrai ? Chanceuse !

— Je le sais… répondit doucement Mirabelle, pas peu fière. Est-ce que t'aimes le bal jusqu'à maintenant ?

— Oui ! C'est vraiment beau ce qu'ils ont fait ! répondit Yulia en jetant un œil à l'écran au-dessus d'elle, puis tout autour.

Elle ajouta, en riant :

— Je me sens stupide, quand même… Je suis tellement perdue, j'ai pas fait attention au thème, tout le monde me regarde bizarrement ! Toi, en tout cas, t'as bien réussi !

— Merci ! Mais tu sais, j'ai pas vraiment de mérite. Si ma cousine Mégane avait pas été là, j'aurais pas du tout le look que j'ai aujourd'hui. Peut-être même que je serais pas venue…

Elle ne s'apercevait pas que la file d'attente devant elle avait progressé. Yulia le lui fit remarquer gentiment. En quelques minutes, les deux filles réussirent enfin à atteindre les toilettes. Yulia entra dans un cabinet, mais Mirabelle, qui voulait simplement se refaire une beauté, dut encore une fois patienter. La foule était si dense devant les miroirs qu'elle s'appuya au mur en attendant son tour. Les filles se maquillaient et certaines papotaient.

Les deux finissantes qui occupaient les deux premiers miroirs se retournèrent vers elle, un sourire aux lèvres. Mirabelle sentit l'insécurité monter. Ce rictus n'était peut-être pas annonciateur de bienveillance.

— Tiens, on l'appellera plus l'échalote, mais le poireau !

Celle qui venait de lancer cette méchanceté était grande, portait une jupe jaune, une chemise blanche à losanges bruns, des mi-bas blancs et des souliers jaunes à talons épais surmontés d'une imposante boucle jaune. Taillée au couteau, elle n'avait rien à envier à personne avec son corps de mannequin. Mais contrairement à ce qu'elle aurait cru, elle ne trouva pas l'appui moqueur de sa copine, qui s'appelait Anita.

— T'es conne ou quoi ?

— Qu'est-ce qui te prend ? rétorqua la première.

Anita ne lui répondit pas.

Mirabelle, elle, regardait par terre, faisant semblant de n'avoir rien entendu, mais cette remarque l'avait profondément atteinte. Elle était encore si fragile. Un poireau ! Était-elle si grosse, maintenant ? Si repoussante ? Anita avait des cheveux noirs et des yeux légèrement en amande. Elle s'avança vers

Mirabelle, qui tentait toujours d'éviter son regard, et lui mit la main sur le bras, en guise de réconfort.

— Excuse-la, elle est un peu bête…

Mirabelle leva les yeux vers elle, tentant de jauger ses intentions.

— Moi, je trouve que t'as un énorme courage et beaucoup de force. T'as remonté la pente en un temps record et t'es ici, belle comme un cœur.

Doutant encore, Mirabelle ne répondit rien.

— Je t'assure, je serais vraiment fière à ta place. En plus, t'es avec le plus beau gars de tout le secondaire, alors profites-en !

Mirabelle esquissa un sourire.

— Merci.

— C'est sincère.

Anita se retourna vers son amie et la tira par le bras pour sortir des toilettes. Elle salua Mirabelle alors que sa copine évita de croiser son regard. Enfin devant un miroir, Mirabelle essuya d'abord son mascara qui avait légèrement coulé. Quand elle se regarda, deux sentiments contradictoires se livraient bataille dans son cœur : d'une part, elle était déçue d'éprouver encore des doutes par rapport à son poids et de prêter attention aux bêtises qu'on lui disait et, de l'autre, elle était heureuse que quelqu'un ait pris sa défense et fière de tout ce qu'elle avait accompli. Elle plongea la main dans son sac et y dégota son rouge à lèvres qu'elle appliqua avec précaution. Elle n'avait pas l'habitude.

En sortant des toilettes, elle regarda à gauche les gens se trémousser sur la piste de danse au son du groupe les Chaussettes noires et fut prise d'un vertige. Au fond, près de l'entrée, elle vit Antoine dans les escaliers qui montrait à Sandra Quentin sa sculpture. Elle ne remarqua pas l'air désintéressé de son copain, mais plutôt les manœuvres de Sandra qui faisait tout pour le charmer en pointant son œuvre du doigt et en tirant son bras le plus haut possible, tout en tentant de se coller à lui. Sandra portait une robe anachronique. Décolletée jusqu'au nombril, elle semblait avoir emprunté son style aux années disco plutôt qu'aux sixties. Sandra affichait un sourire ridicule et rendait hommage de façon exagérée au travail d'Antoine. N'importe quoi pour lui plaire. Mirabelle soupira.

À droite, une bouffée d'air frais lui parvint d'une porte de secours qu'on avait ouverte pour aérer l'endroit. La jeune fille avait besoin d'oxygène et ne se sentait pas assez solide pour retourner tout de suite dans la foule.

Elle poussa la porte et sortit rejoindre quelques personnes qui fumaient ou qui, comme elle, étaient venues se rafraîchir. Elle s'empressa de se mettre à l'écart et s'appuya à un mur. Les nuages qui s'amassaient dans le ciel se faisaient de plus en plus menaçants. L'air était lourd. Elle prit une profonde inspiration.

Elle se mit à penser à cette soirée à laquelle elle n'avait jamais cru qu'elle se rendrait, puis au cégep qui arrivait à grands pas et se sentit en paix avec elle-même. En sciences pures, elle ne connaîtrait personne. Elle ne serait ni l'échalote, ni le sac de patates, encore moins le poireau. Puis, elle allait enfin étudier quelque chose de concret. Seule ombre au tableau, Antoine ne serait pas avec elle. Il avait choisi le Cégep Saint-Laurent, en concentration arts. Mégane, elle, irait au Collège Brébeuf, bien sûr, alors qu'elle-même étudierait au Cégep de Maisonneuve. Et si tout se passait bien, elle continuerait à l'Université de Montréal. Elle aurait bien pu ne jamais traverser cette dernière épreuve, mais elle y était, et son professeur de français lui avait assuré qu'elle avait réussi tous ses examens haut la main. Maintenant, l'avenir s'ouvrait devant elle.

Quelques secondes passèrent avant qu'elle se rende compte qu'on lui parlait.

— Salut !

Elle se retourna et vit Clara dans son fauteuil roulant. Ravissante, elle aussi. Elle avait revêtu un pantalon bleu poudre avec de larges pattes d'éléphant, une camisole brun chocolat et des bottes rouges psychédéliques. Elle avait noué ses cheveux noirs très longs en un lourd chignon à la Brigitte Bardot de la fin des années soixante.

— Tu t'amuses ? lui demanda-t-elle.

— Ouais, c'est bien… La fontaine de chocolat et tout, vous avez mis le paquet !

— C'est juste une soirée. Il fallait pas la manquer ! Et toi, c'est une surprise de te voir ici. Tu m'avais tellement dit que tu viendrais pas.

— J'ai pas pu résister et ça aurait été bête de manquer ça.

— En tout cas, Mirabelle, t'es un vrai pétard ! Je te regardais danser tantôt et on dirait que t'es née pour ça ! J't'ai jamais vue aussi épanouie.

— C'est gentil, merci.

Clara scruta le ciel à son tour.

— Il fait chaud à l'intérieur, hein ? dit Mirabelle.

— Mets-en ! Et je danse pas, alors j'imagine pour vous… Ça doit être un vrai sauna !

Gênée, Mirabelle ne releva pas cette remarque. Elle avait de la difficulté à banaliser les handicaps et préférait, comme elle l'avait fait pour sa maladie, faire comme si ça n'existait pas.

— J'adore votre décor, c'est ultra-cool ce que vous avez fait, dit-elle encore une fois pour relancer la conversation.

— Merci, dit Clara. On a travaillé super-fort, mais ça a valu la peine.

— J'aime le thème aussi. C'est comme si on faisait un voyage dans le temps.

— Tant mieux ! C'était le but. Picasso est parfois un peu chiant, mais il a de bonnes idées…

Plusieurs personnes les rejoignirent en riant. Mirabelle et Clara tournèrent toutes les deux la tête et virent arriver le grand Antoine.

— Hé bien, t'es là, toi ! Je te cherche depuis un moment !

— Oui, excuse-moi, dit Mirabelle, j'aurais dû t'avertir… J'avais chaud.

— T'as pas à t'excuser.

Il la prit par les épaules, là, devant tout ce monde, et ça lui fit tout drôle.

— C'est juste que j'avais peur que tu partes par la porte arrière et que je ne te voie plus pour de bon.

Il la fixa quelques instants, obnubilé, puis regarda Clara.

— Elle est belle, ma blonde, hein?

Son interlocutrice parut étonnée. Mirabelle aussi, d'ailleurs. Elle lui lança un regard d'une fragilité qu'elle ne put camoufler.

— Oui, elle est belle avec un grand B! approuva Clara. C'est la première chose que je lui ai dite.

Antoine se pencha vers Mirabelle et l'embrassa. Elle ne put cacher son malaise et serra les lèvres afin d'éviter les effusions en public. Puis, elle regarda rapidement Clara qui lui fit un clin d'œil complice.

— Bon, allez, je vous laisse tous les deux... Bonne soirée! Amusez-vous bien.

Mirabelle et Antoine la saluèrent. Le vent, qui se faisait de plus en plus fort, entortilla leurs cheveux. Les feuilles des arbres dans le parc en face se tournaient à l'envers, signe d'une averse prochaine.

— On rentre? demanda l'adolescente.

— On rentre! confirma Antoine en la laissant passer.

La chaleur les attaqua dès qu'ils dépassèrent les toilettes pour traverser la piste de danse. Elle était encore plus bondée que tout à l'heure. Mirabelle vit Mégane lui faire signe de venir se joindre à leur table. Ce qu'ils firent avec peine, en contournant ici une table, là un danseur, ici un serveur, là encore des gens qui tentaient de parler malgré la musique qui résonnait si fort que la piste en vibrait. Après quelques bonnes minutes, ils arrivèrent enfin à destination.

— Ça va ? lui demanda Mégane.

— Tout le monde me demande ça ! s'impatienta Mirabelle. Comme si vous aviez peur que je m'écroule.

Elle avait dit ces paroles sur un ton d'impatience, mais Mégane n'était pas facilement froissable et connaissait bien sa cousine.

— Hey, zozotte ! Dans un party, tout le monde demande ça à tour de bras. T'es pas le nombril du monde, tu sais !

Mirabelle prit conscience de la rudesse de sa réaction.

— Excuse-moi, je suis un peu sur les nerfs.

— Je comprends… Allez, dit Mégane en lui prenant les épaules. Oublie ça et donne-toi un peu de fun. YOUOUHHH ! hurla-t-elle, comme si elle proclamait un grand cri de victoire. On a fini ! On l'a eu !

Elle leva sa flûte à champagne.

— Tu bois pas ? T'en as pas eu ?

— Antoine m'a apporté du punch plus tôt, mais j'ai pas eu de champagne.

— Les serveurs sont passés avec du champagne tout à l'heure. Tu devais être aux toilettes. Prends le mien, je vais aller en chercher un autre. Il faut fêter ça !

Mégane était survoltée. C'était une fille de fête et elle avait disparu avant même que Mirabelle ait pu lui dire qu'elle ne voulait pas boire.

La musique baissa d'un cran et l'animateur annonça l'ouverture officielle du buffet.

— Est-ce que t'as faim? lui demanda Antoine.

Mirabelle eut le réflexe de faire la moue, puis reluqua le buffet et eut envie de répondre par un « oui » franc, ce qu'elle fit.

— Oui. Oui, j'ai faim!

Antoine déposa son verre de punch sur la table à laquelle Mégane les avait invités et vint prendre Mirabelle par la taille. Il l'embrassa.

— Alors, viens!

Il la conduisit dans la file qui avait commencé à se former devant l'immense table. Mirabelle était ébahie par la quantité de nourriture. Le comité du bal avait vraiment bien réussi son coup! Antoine lui remit une assiette. Mirabelle la saisit et regarda à droite et à gauche, s'imaginant que tout le monde analyserait ce qu'elle choisirait, mais elle s'aperçut bien vite que personne ne lui prêtait attention. Sa cousine avait raison: elle n'était pas le nombril du monde! Et sa vie ne regardait qu'elle.

Elle commença par prendre quelques légumes, se laissa tenter par des brochettes de crevettes, puis des morceaux en sauce, et osa des pâtes au pesto. Dans sa tête, les calories s'additionnaient à une vitesse inouïe. C'était sa seconde nature, mais elle cria un « stop » intérieur pour faire cesser cette obsession. Les trucs de sa psy portaient leurs fruits!

Au même moment, elle sentit un baiser dans son cou.

— Je vous aime, mademoiselle, et je suis très fier de vous, lui chuchota Antoine.

Des frissons lui parcoururent le corps. Personne ici ne pouvait deviner de quel enfer elle sortait à peine et dans quel paradis elle avait l'impression de flotter aujourd'hui. Antoine était un ange. C'était incontestable.

Les Moody Blues tournaient dans le lecteur.

Ils revinrent s'asseoir à leur table. Justin Lefebvre se donnait en spectacle sur la piste de danse, comme s'il était directement sorti des années soixante. Il portait un habit vert pâle à col Mao. Les gens riaient autour de lui, ce qui n'était visiblement pas pour lui déplaire. Antoine, qui s'amusait comme un petit fou, commença à manger sans perdre une minute, mais il lui fallut peu de temps pour percevoir l'ombre qui avait recouvert le visage de Mirabelle. Les yeux dans son assiette, elle remuait les aliments avec sa fourchette sans pour autant avaler quoi que ce soit. Il termina sa bouchée et se leva pour aller se poster derrière elle.

— Lève-toi.

— Qu'est-ce que tu fais ?

— Viens, emporte ton assiette.

Elle s'exécuta sans poser de question et le suivit avec une entière confiance. Ils croisèrent Mégane, qui attendait dans la file avec Marcos. Elle faillit les questionner, mais Antoine lui fit non de la tête pour lui faire comprendre qu'il valait mieux pour l'instant ne rien dire.

Il ouvrit promptement la porte de l'école et s'arrêta net en voyant qu'un tonnerre tonitruant et une pluie abondante se déchaînaient. Les finissants qui arrivaient encore n'avaient pas assez de leur parapluie pour se couvrir. Les robes se faisaient détremper au passage, au grand désarroi de leurs propriétaires. Antoine, qui aperçut l'oncle de Marcos garé avec la limousine à quelques mètres seulement d'eux, lui fit signe de s'approcher. Il leur fallut cependant attendre que l'averse soit moins abondante pour que l'oncle puisse les voir à travers les vitres embuées.

— Qu'est-ce qu'on fait au juste? demanda Mirabelle à son cavalier.

— On va manger.

— Quoi? demanda-t-elle encore, en regardant son assiette.

L'oncle de Marcos approcha la voiture et baissa la fenêtre.

— Qu'est-ce qu'il y a?

— On voudrait manger dans la limo. C'est possible?

L'homme hésita quelques instants, puis accepta.

— Si vous ne m'en mettez pas partout! Venez.

Mirabelle et Antoine montèrent dans la voiture. L'oncle de Marcos recula la limousine et se gara un peu plus loin. Le couple n'en demandait pas tant, mais l'oncle insista pour les abandonner à eux-mêmes, tout en subtilité bien sûr.

— Je vais aller prendre un petit café… Ça vous dérange pas?

— Pas du tout ! envoya Antoine.

— Prenez soin de ma minoune !

— Pas de problème…

— C'est très bien alors, marmonna l'homme, complice.

Il ouvrit son parapluie et s'en alla.

Antoine et Mirabelle étaient seuls. Enfin ! Antoine se pencha sur elle et l'embrassa.

— J'ai faim ! déclara-t-il.

Mirabelle était heureuse auprès de lui. Il était si vivant, si plein de bonheur. Il piqua sa fourchette de plastique dans un brocoli et le lui présenta. Elle ouvrit la bouche et accepta de le manger avec un air rieur. Elle planta sa fourchette à son tour dans son poulet en sauce et le lui offrit. Puis rapidement, ce fut au tour des pâtes d'y passer. Antoine piqua des fusillis sauce rosée. Mirabelle grimaça. Des pâtes, ses pires ennemies, ses plus grands délices.

— Allez, on ouvre la bouche.

Elle sourit, hésita, ferma les yeux en serrant les paupières et ouvrit la bouche, mâcha puis avala en ouvrant les yeux.

— Tu vois, c'est pas si difficile !

Elle sourit. Elle s'était déjà réconciliée avec les pâtes tout au long de sa thérapie, mais elle n'avait pas encore pris de repas en présence de quelqu'un d'autre qu'un médecin. Pour elle, manger était un geste si intime, si complexe qu'elle ne pouvait qu'être doublement fière d'avoir réussi l'exploit de le partager avec l'homme de son cœur. Et sans calculer les calories en les avalant, pour la première fois depuis si longtemps! Elle s'était simplement amusée et maintenant, elle se sentait pleinement heureuse.

Ils rigolèrent, savourèrent chaque bouchée, pendant que la pluie pétaradait sur la carrosserie de la limousine ruisselante. Elle se sentait dans une bulle que rien ni personne ne pouvait crever. Bientôt, ils eurent terminé leurs assiettes.

Antoine étira son bras jusqu'à la banquette avant en se penchant.

— Qu'est-ce que tu fais? demanda Mirabelle, curieuse.

Antoine lui tendit un parchemin retenu par une boucle rouge.

— Je le sais qu'il y a des gars qui donnent des bagues au bal, mais j'ai voulu être plus original.

Mirabelle ne s'attendait pas à ce qu'elle allait découvrir.

— Tu me croyais pas quand je te disais que je connaissais leur nom à toutes… Je te jure que celle-là, je vais m'en souvenir toute ma vie.

L'adolescente fronça les sourcils en défaisant le nœud. Deux parchemins étaient entrelacés. Sur le premier, elle découvrit des centaines de petits points épars, dont un qui était entouré. Elle déplia le second qui lui apparut davantage comme un certificat.

— Je t'ai acheté une étoile, expliqua Antoine.

Mirabelle le regarda en cherchant à comprendre. Il lui prit un des deux parchemins des mains et le déplia à son tour.

— Tu vois ici, lui dit-il en indiquant le point encerclé, c'est une des milliards d'étoiles qu'on trouve dans la galaxie. Celle-là porte ton nom et t'as ici la preuve certifiée que c'est bel et bien vrai.

— Non, sans blague ! s'exclama Mirabelle.

Elle trouvait ce geste follement romantique.

— Vrai comme je suis là.

Émue, elle se mit à rigoler comme une enfant. Elle n'en revenait pas ! Il s'avança pour l'embrasser. Elle ferma les yeux, appuya sa tête sur la banquette et se laissa aller à ce moment si précieux. Elle entendait la pluie tomber sur la carrosserie et comme ça, à l'intérieur, elle se sentait encore plus en sécurité, seule avec l'homme qu'elle aimait. Elle trouva les lèvres d'Antoine si tendres, si douces et elle adorait la façon qu'il avait de poser sa main sur sa joue pendant qu'il l'embrassait, comme s'il lui accordait toute son attention. Elle croyait que son cœur allait éclater et aurait voulu que ce moment dure toujours. En sentant leurs langues s'effleurer doucement, elle eut l'impression qu'ils ne faisaient plus qu'un, que la fusion était parfaite. Et il sentait si bon ! Elle lui caressa le visage à son tour pour découvrir une peau douce, celle d'un adolescent qui n'avait pas encore une barbe très drue. Puis, elle passa la main dans ses cheveux. Elle ouvrit les yeux et découvrit qu'il avait les paupières fermées. Antoine s'abandonnait entièrement à l'amour. Mirabelle sentit le désir monter en elle et sut que cette relation pouvait les mener loin. Elle en était maintenant convaincue.

Elle se détacha et prononça de façon quasi solennelle :

— Je te remercie… Merci d'avoir été là pour moi. Merci de ta patience malgré ma froideur. Et merci pour l'étoile, ajouta-t-elle, coquine, en brandissant le parchemin.

— Tu m'as ensorcelé. Tu n'aurais jamais pu te débarrasser de moi, même si tu l'avais voulu !

Mirabelle prononça alors une phrase qui semblait sortie de nulle part.

— On se fait la fontaine de chocolat ?

— Maintenant ? demanda Antoine, étonné qu'elle franchisse déjà un si grand pas.

Du dessert ! Elle demandait du dessert !

— On n'attend pas la fin de l'averse ?

— Maintenant ! insista-t-elle, décidée.

Antoine était ravi de cette spontanéité, sachant pourtant pertinemment qu'ils étaient garés plutôt loin de la porte et qu'ils n'avaient pas de parapluie. Il n'avait peur de rien. Il se colla contre elle et poussa la portière.

— *Let's go*, on fonce !

En l'espace d'un éclair, ils entrèrent à nouveau dans la fête.

Peu importait l'état de leurs vêtements, de son maquillage à elle, Mirabelle était heureuse dans le moment présent et c'était tout ce qui comptait… L'ambiance était à son meilleur. Sur la piste de danse, des centaines de jeunes dansaient au son des Rolling Stones.

Mirabelle était comblée. Elle se dirigea spontanément vers la fontaine gourmande et prit une fraise appétissante qu'elle trempa dans le chocolat. Elle n'en fit qu'une bouchée.

★

Cet ouvrage a été composé en Fiona sérif 10/13,3
et achevé d'imprimer en mars 2009, sur les presses
de Imprimerie Lebonfon Inc. à Val-d'Or, Canada.

certifié

procédé
sans chlore

100 % post-
consommation

archives
permanentes

énergie
biogaz

Imprimé sur du papier 100 % postconsommation,
traité sans chlore, accrédité Éco-Logo et fait à partir de biogaz.